Peggy Sue et les fantômes
Le Zoo ensorcelé

DU MÊME AUTEUR

OUVRAGES POUR LA JEUNESSE

PLON

Série Peggy Sue et les fantômes [traduite en 23 langues]
1. *Le Jour du chien bleu*
2. *Le Sommeil du démon*
3. *Le Papillon des abîmes*

BAYARD

Le Maître des nuages
Prisonniers de l'Arc-en-ciel

LE LIVRE DE POCHE JEUNESSE

Le Pique-Nique du crocodile
L'Œil de la pieuvre

LE MASQUE

Série Sigrid et les mondes perdus
1. *L'Œil de la pieuvre*
2. *La Fiancée du crapaud*
3. *Le Grand Serpent*

FOLIO (SCIENCE-FICTION)

(pour les jeunes adultes)
Le Syndrome du scaphandrier
Boulevard des banquises
Le Cycle des ouragans (trois romans)

SERGE BRUSSOLO

Peggy Sue et les fantômes

Le Zoo ensorcelé

Plon

Sommaire

Les personnages

Peggy Sue

Collégienne de 14 ans, elle a été longtemps la seule à savoir que des créatures invisibles sortaient des murs pour accabler les humains de farces mortelles. Personne ne voulait la croire, mais grâce à son courage et à sa ténacité elle a fini par se débarrasser d'eux. Son combat contre les Invisibles occupe les trois premiers tomes de la série.

Les fantômes

Le grand problème, pour Peggy Sue, c'est qu'il existe autant d'espèces de fantômes que de races de chiens ! Si elle en a fini avec les Invisibles, cela ne signifie nullement qu'elle va pour autant couler des jours heureux. Comme dit un vieux proverbe martien : « Un fantôme perdu, dix de retrouvés ! »

Le chien bleu

D'abord pauvre chien errant, il s'est trouvé exposé aux rayons du soleil bleu, un astre magique créé par les Invisibles, qui avait le pouvoir de rendre tout le monde intelligent. Il est ainsi devenu télépathe et hypnotiseur. Il a, un temps, gouverné une ville et tous ses habitants. Guéri de sa folie des grandeurs, il s'est lié d'amitié avec Peggy Sue qui l'a recueilli. Râleur, entêté, il obéit quand il en a envie, mais il est brave et n'a pas son pareil pour détecter les dangers cachés. Il s'obstine à porter une cravate, qu'il mâchonne parfois, lorsqu'il est énervé.

Granny Katy

Grand-mère maternelle de Peggy Sue, elle s'appelle en réalité Katy Erin Flanaghan. Sorcière, elle a inventé les manteaux aspirateurs de fatigue et les chats de sérénité qui absorbent la nervosité de leurs maîtres. Elle est un peu folle mais très gentille, et toujours prête à se lancer dans une nouvelle aventure.

Sebastian

C'est le petit ami de Peggy Sue. Il a 70 ans mais garde l'apparence extérieure d'un garçon de 14 ans.

Pour fuir la misère, il avait trouvé refuge dans l'univers fabuleux des mirages où les années passent sans qu'on vieillisse d'un seul jour. Au terme d'une incroyable aventure (voir *Le Sommeil du démon*), il a réussi à fuir sa prison. Hélas, pour rester avec Peggy Sue, il a dû accepter de devenir une sorte de statue de sable vivante qui tombe en poussière dès qu'elle n'est plus humidifiée. Son existence n'est pas simple car il ne peut reprendre forme humaine qu'à condition de se baigner dans une eau 100 % pure ! Peggy Sue le transporte dans une valise.

Sean Doggerty

Jeune mineur, il creusait le sol pour récupérer l'or des étoiles (voir *Le Papillon des abîmes*). Amoureux de Peggy Sue, il a partagé avec elle bien des mésaventures au centre de la terre. Un maléfice a fait de lui un homme-puzzle, menacé de tomber en miettes au moindre choc. Effrayé par cette perspective, il a renoncé à suivre Peggy Sue et vit toujours à Shaka-Kandarec, sa ville natale, où il est devenu chef de la police. C'est pour cette raison qu'on ne le verra pas dans ce livre, mais qui sait si dans le suivant...

N'oublie pas de consulter
le courrier des lecteurs à la fin du livre !

Mauvais présages sur la route des vacances

Peggy Sue se réveilla à grand-peine. En ouvrant les yeux, elle ne reconnut pas la pièce où elle se trouvait; c'était normal puisqu'il s'agissait d'une chambre d'hôtel. La veille, Granny Katy, qui en avait assez de conduire, avait décidé qu'on s'arrête-rait pour la nuit, le temps de donner au moteur de son vieux camion l'occasion de refroidir.

Les yeux mi-clos, Peggy entra dans la salle de bains et saisit le dentifrice mis à la disposition des clients par le service d'étage.

— *Hé!* s'écria-t-elle en voyant un minuscule serpent jaune à la langue fourchue sortir du tube à la place de l'habituel boudin de pâte rose. *Qu'est-ce que c'est?*

Elle lâcha le tube qui tomba dans le lavabo. Le reptile acheva de se dégager et contempla d'un air méchant l'adolescente figée par la surprise, sa brosse à dents au poing. C'était un serpent jaune tacheté de bleu. Assez joli, mais dont les yeux bril-laient d'un éclat maléfique.

— Veux-tu bien fiche le camp! lui cria Peggy.

Aussitôt, la sinueuse bestiole disparut dans le trou de vidange.

La jeune fille frissonna et reposa la brosse sur la tablette. Elle n'avait aucune envie de presser encore une fois sur le tube pour en voir jaillir un deuxième reptile !

Pas très rassurée, elle se pencha sur le lavabo afin de jeter un coup d'œil dans l'orifice d'évacuation.

Peut-être aurait-il été plus prudent de faire couler l'eau ? Cela entraînerait le visiteur indésirable au fond des égouts. (Du moins l'espérait-elle.)

Elle tourna la manette, mais, au lieu du flot attendu, un autre serpent jaune surgit du robinet, beaucoup plus gros !

Peggy Sue fit un bond en arrière. Dans quel hôtel était-elle tombée ?

« Y en a-t-il partout ? se demanda-t-elle. Dans les canalisations des radiateurs ? Sous le plancher ? »

Renonçant à faire sa toilette, elle s'habilla en hâte et descendit à la salle à manger où Granny Katy et le chien bleu prenaient le petit déjeuner. Au passage, elle s'arrêta à la réception pour signaler que des serpents se promenaient dans sa chambre. L'employé sourit et haussa les épaules comme s'il s'agissait là d'un incident négligeable.

— Cela arrive parfois, fit-il distraitement, que voulez-vous, nous sommes à la campagne ! Si vous ne les embêtez pas, ils s'en iront sans vous ennuyer. Ce sont des bébés reptilons. Quand ils ont cette taille, ils ne sont pas plus dangereux que des moustiques.

« Bon, *d'accord,* songea Peggy, essayons de conserver notre calme. Après tout, je suis sur la route des vacances, et d'ici deux heures nous arriverons à Aqualia, la cité du lac. »

Pour ne pas avoir l'air d'une pleurnicharde, elle décida de ne pas se plaindre auprès de sa grand-mère, mais, dès lors, elle resta sur ses gardes, s'attendant à voir sortir un serpent de la cafetière ou du pichet de chocolat chaud. Cette perspective lui coupa l'appétit.

Granny Katy consultait une carte routière en grignotant un croissant, le chien bleu sommeillait sur la moquette, le nez près de l'écuelle qu'il venait de vider en trois coups de langue.

« Allons, se dit la jeune fille, reste *cool.* Il n'y a plus de fantômes sur la Terre depuis trois mois, il faudrait que tu t'habitues à vivre comme une fille normale. »

Pour se détendre, elle décida d'expédier une carte postale à ses parents et se dirigea vers le tourniquet installé à la réception.

Ici, on pouvait acheter des cartes postales magiques fabriquées par une sorcière locale. « De la camelote », avait déclaré Katy Flanaghan d'un ton sans appel. Peggy Sue en choisit une représentant le lac d'Aqualia. Le mode d'emploi en était fort simple : il suffisait d'inscrire le nom du destinataire en haut du rectangle de carton, puis d'attendre... Le reste des mots se traçait par magie, imitant votre écriture à la perfection. C'était bien pratique quand on ne savait pas quoi raconter ! Il s'agissait d'un sortilège de rien du tout destiné à amuser les touristes. L'adolescente saisit un stylo et s'installa à une table, près de la baie vitrée, pour remplir la partie réservée à la correspondance.

Chère Maman, cher Papa... écrivit Peggy Sue, puis elle rangea le crayon dans sa poche. Maintenant, il fallait attendre que la suite s'écrive toute seule. Cela demandait généralement une ou deux minutes.

Par la fenêtre, l'adolescente avisa un grand écriteau qui annonçait : *Réserve des loups-garous. 3 km.*

Haussant les sourcils sous l'effet de la surprise, elle demanda au réceptionniste :

— Il y a des loups-garous dans le coin ?

— Oui, fit distraitement son interlocuteur. On les avait trop pourchassés à une époque, alors la race était en voie d'extinction. L'Office des forêts essaye de les réacclimater dans le coin. Au début, on employait certains d'entre eux aux cuisines, car ce sont de remarquables rôtisseurs, hélas ils avaient la fâcheuse habitude de laisser tomber leurs poils dans les plats. Les clients n'appréciaient pas. Les spaghetti à la fourrure, c'est spécial, non ?

— Hum, hum, fit Peggy Sue sans se compromettre.

Elle avait beau faire des efforts, depuis la découverte des serpents jaunes, elle restait nerveuse. Elle n'avait pas du tout aimé la manière dont les bestioles l'avaient fixée. Un étrange pressentiment lui soufflait qu'il aurait été plus prudent de faire demi-tour. La tête du réceptionniste ne lui revenait pas. Il avait l'air d'un mangeur de vers de terre professionnel.

« C'est bizarre, se dit-elle, nous sommes sur la route des vacances, et pourtant on ne voit passer *aucune* voiture, ni dans un sens ni dans l'autre. On dirait qu'il n'y a que nous. L'hôtel est vide... la route est déserte... Curieux pays. »

Son instinct l'avertissait de la proximité d'un danger inconnu. N'y tenant plus, elle sortit sur la terrasse pour faire trois pas dehors. L'air frais lui arracha un frisson. Elle s'avança au milieu de la route, jetant des coups d'œil à droite et à gauche pour voir si un quelconque véhicule approchait. Elle attendit en vain : la piste demeurait vide jusqu'à la ligne d'horizon.

« On n'entend même pas un ronronnement de moteur... » constata-t-elle.

Soudain, elle eut conscience d'une présence anormale. Lorsqu'elle tourna la tête, elle aperçut des formes tremblotantes, sur la lande, au milieu des ajoncs.

« Nom d'un caramel au saucisson ! souffla-t-elle. *Des fantômes...* Il ne manquait plus que ça ! » Et elle avala sa salive avec difficulté.

Il y en avait une bonne trentaine, souriant d'un air hébété. Leurs silhouettes fragiles dansaient dans le vent, menaçant à tout moment de s'effilocher.

« Ce ne sont pas des Invisibles, constata Peggy Sue avec un soupir de soulagement. Cette fois, j'ai affaire à de vrais revenants tout ce qu'il y a de plus classiques. »

Elle n'osait plus faire un geste. Plantée au bord de la route, elle regarda les spectres s'avancer à sa rencontre. Certains étaient curieusement criblés de flèches... D'autres ressemblaient à des puzzles mal emboîtés, comme s'ils avaient explosé en mille morceaux et tenté de rafistoler leurs corps épars en tâtonnant.

C'était assez impressionnant, toutefois les fantômes ne paraissaient pas animés de mauvaises intentions. *Ils souriaient.* (Même ceux qui tenaient leur tête coupée sous le bras, tel un ballon de football !)

« On voit bien qu'ils essayent d'être gentils, pensa Peggy Sue. Que leur est-il arrivé ? »

Elle plissa les yeux. Les fantômes étaient si translucides qu'on les voyait à peine. Peggy comprit qu'ils allaient bientôt s'effacer. Elle aurait voulu savoir pourquoi certains d'entre eux avaient le torse hérissé de morceaux de bois ressemblant à des flèches, on eût dit qu'ils avaient trouvé la mort dans une embuscade tendue par des Indiens.

« Ils sont venus pour moi, pensa l'adolescente. Ils essayent de me dire quelque chose... »

Les spectres portaient des chemises à fleurs, des casquettes, des bermudas, des lunettes de soleil. « La parfaite panoplie du vacancier », diagnostiqua Peggy Sue.

Tout à coup, les fantômes tendirent le bras en direction de la forêt et secouèrent négativement la tête, comme s'ils voulaient signifier à leur interlocutrice de ne pas emprunter cette direction.

— Vous avez pris la route d'Aqualia et il vous est arrivé quelque chose de mauvais, c'est ça? murmura Peggy. Merci de me prévenir, mais je voudrais comprendre... Qui vous a lancé ces flèches?

Les revenants sourirent avec une mine désolée et lui firent au revoir en agitant la main. (Du moins ceux qui avaient *encore* des mains!)

— Vous ne pouvez vraiment pas rester plus longtemps? supplia l'adolescente. Attendez, ne partez pas! Je n'ai pas tout compris. Qu'y a-t-il au bout de la route? Un danger nous guette... Où ça? Dans la forêt? Au bord du lac?

Hélas, les spectres s'effaçaient dans la brume matinale. Leurs contours se brouillaient. La lande reprit brusquement son apparence habituelle.

« Ai-je rêvé? » se demanda Peggy. Elle s'ébroua. Décidément, tout allait de travers aujourd'hui! Devait-elle signaler l'étrange incident à sa grand-mère? Elle hésitait à gâcher l'ambiance par des prédictions fumeuses qui ne manqueraient pas d'angoisser tout le monde. Après tout, elle avait pu être victime d'une hallucination. *Des vacanciers criblés de flèches...* Ça n'avait aucun sens!

Comme elle ne pouvait pas rester comme une idiote au milieu de la route, elle regagna l'hôtel.

Au moment où elle s'apprêtait à timbrer la carte postale magique abandonnée un instant plus tôt, elle s'aperçut qu'en son absence celle-ci s'était couverte de mots étranges : *serpents... baleines... danger... dragon... Pas aller plus loin. Zoo ensorcelé. Danger... danger... Danger... Danger... danger...*

danger... Danger... danger.. danger... Danger... danger... danger... danger!

— Ah! grogna le réceptionniste, je suis désolé, ces cartes magiques ne fonctionnent pas très bien. Parfois, elles se mettent à délirer. Je vais vous en donner une autre.

« Il se trompe, songea Peggy, c'est la présence des fantômes qui a perturbé le processus d'écriture automatique. Voilà donc ce qu'ils essayaient de me dire... »

Elle n'eut pas le temps de s'interroger davantage car Granny Katy l'appela. Le chien bleu était réveillé et elle avait payé la note, il était temps de reprendre la route... c'est-à-dire d'aller dans la direction indiquée par les spectres!

Un pull en poil de monstre

— Les loups-garous habitent dans ce bois, expliqua Granny Katy assise au volant du gros camion rouge qui contenait son attirail de sorcière, ses chats de sérénité, son crapaud péteur, sa théière, ses pantoufles, et toutes les choses dont elle ne se séparait jamais.

— Des loups-garous en liberté? fit Peggy Sue d'une voix étranglée.

— Oui, confirma sa grand-mère. Ils ne sont pas méchants, ils tondent leurs poils pour en faire de la laine, et avec cette laine ils tricotent les pulls les plus chauds du monde. Quand on porte un pull en poil de loup-garou on peut se promener au pôle Nord en petite culotte, même s'il fait 67°C au-dessous de zéro.

— Ah! bon, fit Peggy, guère rassurée.

— Je m'arrête là, annonça Katy Flanaghan. Tu vas entrer dans la forêt en emportant ce panier. Il contient un médicament que les loups-garous avalent pour se guérir de leur férocité. En échange, ils te donneront la laine qu'ils ont filée à partir de leur fourrure.

— D'accord, fit l'adolescente (bien que n'en menant pas large, elle avait confiance en sa grand-mère).

Elle se saisit du panier d'osier rempli de pilules roses et sauta du camion. Le chien bleu voulut l'accompagner mais Katy le retint par la peau du dos.

— Non, dit-elle, pas toi, les médicaments empêchent les lycanthropes [1] de manger les humains, pas les chiens.

Peggy Sue se glissa dans les taillis. Entre les feuilles, elle aperçut une petite clairière où l'on avait aménagé une aire de pique-nique avec des tables et des bancs taillés dans des rondins.

Un grand loup s'y tenait, assis sur une souche, un sac à ses pieds. Ses pattes antérieures se terminaient par des mains griffues et sa tête était aussi grosse que celle d'un lion. Il se grattait nerveusement comme s'il était couvert de puces et claquait des mâchoires. Ses crocs jaunâtres dépassaient de ses babines.

— Salut, dit Peggy en s'approchant Tu n'es pas méchant?

— Si, dit le loup, mais je me soigne. A propos, as-tu les médicaments?

— Oui, fit l'adolescente en posant le panier devant la bête.

Le loup s'empressa d'y plonger la main. S'étant emparé de trois pilules roses, il les avala d'un coup, avec un bruit de déglutition plutôt pénible.

---

1. Nom scientifique du loup-garou.

— Ouais, soupira-t-il, ça va déjà mieux...

— Tu as l'air nerveux, remarqua Peggy.

— Non, non, ça va passer, assura le monstre. Dans dix minutes je vais recommencer à aimer la purée de pommes de terre et les épinards hachés. En attendant, ce serait mieux que tu ne t'approches pas trop... *Tu sens le jambon rose.*

Peggy Sue recula prudemment, le temps de compter jusqu'à 587.

— Ah! fit le loup, maintenant ça va tout à fait bien. J'ai envie d'endives cuites.

Et, plongeant la main dans le panier, il avala fébrilement trois autres comprimés.

— Oui, des endives cuites, répéta-t-il en fixant l'adolescente d'une drôle de manière. Ou des poireaux en salade.

— Où est la laine? s'enquit Peggy Sue.

Le loup poussa le gros sac vers elle.

— Tu pourras tricoter des tas de pulls, dit-il. C'est du poil de premier choix tondu à la pleine lune. Tu vas ouvrir une boutique?

— J'accompagne ma grand-mère au lac d'Aqualia, répondit Peggy en commençant à reculer. Nous allons ouvrir une échoppe d'artisanat là-bas. Elle louera des chats de sérénité, et moi je...

— *Des chats...* haleta le loup, ça doit être bon avec des endives cuites. Oh! un tout petit chat, gros comme l'ongle du pouce... et beaucoup, beaucoup d'endives.

Ses yeux étaient devenus rouge vif. Il avala trois nouvelles pilules.

— Bon... je crois que je vais te laisser, fit Peggy. Il y a pas mal de route à faire et...

— Ne va pas à Aqualia, lança le monstre en agitant ses mains griffues plus coupantes que des lames de rasoir. Il s'y passe de drôles de choses en ce moment. Tu ferais mieux de rester avec moi, je te préparerais une bonne assiette de carottes bouillies, tu verras, c'est délicieux. De belles carottes rouges, rouges, ROUGES comme... *comme de la chair crue !*

— C'est sympa, bredouilla l'adolescente, mais il faut vraiment que j'y aille.

— Comme tu veux, soupira le loup, mais tu le regretteras. Le lac est ensorcelé. Les gens qui vivaient là-bas l'ont appris à leurs dépens.

— Merci du conseil, lança Peggy en prenant la fuite.

De retour dans le camion, elle demanda à sa grand-mère :

— Ça tient vraiment chaud, un pull en laine de loup-garou ?

— Oui, répondit Katy Flanaghan, il n'y a qu'un problème, si tu le portes trop longtemps, les poils finiront par prendre racine dans ta peau et tu ne pourras plus jamais t'en débarrasser, mais c'est un inconvénient négligeable quand on est frileuse.

Des morsures bien inquiétantes...

Peggy Sue avait décidé de ne plus retourner à l'école. Elle voulait rester avec sa grand-mère et apprendre un métier.

Elle se disait qu'elle pourrait peut-être fabriquer des *cookies,* ou des *brownies,* et les vendre sur les plages. Ou encore des tartes. Elle aimait bien les tartes, à toutes sortes de fruits. Ou alors elle pourrait travailler au zoo d'Aqualia : friser la crinière des lions, rouler les trompes des éléphants pour qu'elles ne traînent pas dans la poussière...

Mais surtout, surtout, elle ne voulait pas devenir sorcière. Pour être sorcière, il fallait apprendre des tas et des tas de formules magiques, *par cœur,* et elle avait horreur de ça!

— Déjà que je n'arrive pas à me souvenir des règles de grammaire, dit-elle au chien bleu, alors des formules magiques, tu imagines un peu? Je déclencherais catastrophe sur catastrophe.

— Je ne me rends pas compte, répondit son compagnon à quatre pattes, nous les chiens, nous n'apprenons rien. Tu devrais demander à ta grand-mère de te transformer en chien, comme ça tu n'aurais plus ni leçons ni devoirs. Je te montrerais comment ronger les os, c'est facile et c'est bon.

— Je veux être normale! s'entêta Peggy Sue. Est-ce que quelqu'un peut comprendre ça? Je ne veux pas posséder de superpouvoirs... sauf celui de réussir de bonnes tartes aux fruits, peut-être.

Elle décida de ne plus y penser. Elle avait hâte d'être à Aqualia. L'eau du lac étant la plus pure du monde, elle pourrait y recomposer Sebastian.

« Chaque fois qu'il se sentira un peu sec, songeait-elle, il n'aura qu'à piquer une tête et faire quelques brasses. De cette façon, il conservera toujours son apparence humaine. Ce sera super. Nous pourrons enfin être heureux. Ce n'est pas très facile de dénicher un garçon gentil de nos jours et j'aimerais bien le conserver le plus longtemps possible. »

Absorbée dans ses pensées, elle ne remarqua pas que le paysage bordant la route prenait au fil des kilomètres une apparence de plus en plus sinistre.

— Ce n'était pas comme ça, la dernière fois! murmura soudain Granny Katy, les sourcils froncés par la stupéfaction. Il est arrivé quelque chose, regarde : tout est délabré!

Peggy Sue se pencha à la portière; des broussailles hirsutes, hérissées d'épines, les entouraient. A chaque tour de roue, le camion s'enfonçait un peu plus au cœur des ronces qui poussaient en travers de la route, comme pour barrer le chemin à d'éventuels intrus.

— Depuis combien de temps n'es-tu pas venue? interrogea Peggy Sue que la désolation des lieux finissait par inquiéter.

— Je n'en sais rien! bougonna Granny Katy. Deux ans? Je me rappelle être passée à la saison des vacances pour une livraison de chats de sérénité. Tu sais ce que c'est : les gens des villes ont le plus grand mal à se détendre. Un chat mangeur de nervosité leur est bien utile.

Elle essayait de plaisanter pour alléger l'atmosphère, mais son rire sonnait sur une note aigrelette et fêlée. Le chien bleu avait dressé les oreilles et grognait, comme à l'approche d'un danger. Peggy Sue constata que l'angoisse de son compagnon à quatre pattes devenait contagieuse. Maintenant, elle avait les paumes moites et la bouche sèche. Un grand panneau métallique apparut dans le fouillis des ronces. La rouille avait commencé à le grignoter. On y lisait :

Aqualia. Cité des vacances. Et plus bas, en lettres penchées : *Son lac. Ses baleines apprivoisées. Son zoo merveilleux. Aqualia : la cité des animaux-clowns!*

— Des baleines domestiques! gloussa la jeune fille. C'est une blague?

— Pas du tout, dit Katy Flanaghan, le lac est occupé par un banc de cétacés d'origine extraterrestre. On les appelle « baleines » par commodité. Ce sont de grosses bestioles qui mesurent vingt mètres de long! Elles sont inoffensives. Elles vivent en eau douce. On les a dressées pour une sorte de spectacle aquatique, comme des dauphins. Ça marche très fort auprès des vacanciers. C'est même la principale attraction de la cité. La ville occupe la moitié du lac.

— C'est un grand lac? coupa Peggy Sue.

Granny haussa les épaules.

— Vingt kilomètres d'une rive à l'autre, en son milieu. Un beau plan d'eau, limpide. Six cents kilomètres carrés de superficie.

Elle se tut car le camion s'engageait sur une pente. Là encore les mauvaises herbes avaient crevé le revêtement de la route; elles jaillissaient des fissures avec une vigueur insolente. A chaque cahot les paniers entassés à l'arrière heurtaient les parois et les chats miaulaient, mécontents.

Le chien bleu grogna de plus belle.

— Nom d'une saucisse atomique! Il y a quelque chose, dit-il. *Je sens une odeur monstrueuse.*

Peggy n'eut pas le temps de lui demander de s'expliquer car le paysage de broussailles fit soudain place à une étendue dévastée, une forêt d'arbres déchiquetés, tous sciés à mi-tronc. Le sol disparaissait sous un amoncellement de copeaux, comme si les arbres avaient explosé pour se changer en monceaux d'échardes. Le spectacle était hallucinant.

— On dirait qu'on s'est amusé à faire sauter la forêt à la dynamite, observa Peggy Sue en passant la tête par la portière. Il ne reste plus que les souches. C'est quoi ce carnage?

Granny fronça les sourcils et ralentit. Les débris de bois craquaient sous les roues du camion.

— Ça, c'est l'œuvre des reptilons, murmura-t-elle en jetant des coups d'œil inquiets de droite et de gauche, les loups-garous m'en avaient parlé mais je croyais qu'ils exagéraient pour se rendre intéressants. Ils ont dû s'échapper du zoo d'Aqualia.

— Des reptilons? s'étonna Peggy Sue. Je ne savais même pas que ça existait. Le réceptionniste m'en a parlé tout à l'heure. Il n'avait pas l'air de les considérer comme dangereux.

Granny Katy émit un ricanement amer.

— Ce sont des bestioles bizarres, lâcha-t-elle sans cesser sa surveillance. Ouvre grands les yeux, ils doivent déjà nous encercler.

A présent ils roulaient au pas, mais un brouillard de sciure se levait dans le sillage du camion. Peggy Sue ne put s'empêcher de tousser. Soudain la quinte s'étrangla dans sa gorge. Elle venait de localiser un étrange mouvement au ras du sol : *quelque chose se déplaçait en rampant sous les copeaux.*

« Glub! pensa-t-elle, ça mesure au moins *six* mètres! »

Granny Katy avait suivi la direction de son regard. Ses phalanges se crispèrent sur le volant.

— Remonte ta vitre! ordonna-t-elle d'une voix terrifiée.

— De quoi s'agit-il? insista Peggy.

— Les reptilons sont des serpents extraterrestres qu'on a importés pour amuser les touristes, chuchota sa grand-mère.

Peggy Sue ouvrit la bouche pour poser une autre question mais — au même moment — la tête d'une espèce de boa troua le tapis de sciure pour se dresser, à deux mètres au-dessus du sol. Ses écailles, fines et luisantes, arboraient une coloration d'un jaune intense piqueté de taches bleues, « comme le serpenteau qui est sorti du tube dentifrice, à l'hôtel », se dit aussitôt Peggy Sue. L'œil dépourvu de pupille paraissait d'une effrayante fixité. L'ophidien [1] ondula en direction d'un tronc décapité. Sa langue fourchue frétillait entre ses lèvres cornées, elle parcourut les nervures de l'écorce comme si elle « goûtait » le bois.

« L'odorat, chez les reptiles, est logé dans la langue », songea Peggy Sue, se souvenant de ce qu'elle avait appris au collège.

Le serpent se détourna de l'arbre mutilé et reprit sa reptation. La sciure adhérant à ses écailles créait l'illusion qu'il était habillé de fourrure.

— On dirait une saucisse géante roulée dans la chapelure ! grommela le chien bleu.

Après deux autres tentatives infructueuses, le boa parvint enfin au pied d'un chêne intact. Aussitôt sa gueule se mit à bâiller en un rictus d'attaque qui distendit les mâchoires et révéla les crochets en train de se soulever pour adopter leur position de morsure. Peggy Sue frémit. Le serpent se jeta en avant et planta ses dents dans une racine. Des contractions agitèrent ses côtes, trahissant un prodigieux travail des muscles.

— Il va contaminer la sève, chuchota Granny Katy. Les crochets des reptilons sécrètent un venin

---

1. Nom scientifique qui désigne les serpents.

qui provoque une fermentation à l'intérieur de tout ce qu'ils mordent. Au bout de quelques minutes, le tronc et les branches de cet arbre vont se boursoufler sous l'effet d'un bouillonnement interne. Finalement le chêne explosera comme un ballon trop gonflé. Tu peux voir le résultat tout autour de toi. La dernière fois que je suis passée, les reptilons étaient pacifiques et vivaient dans le parc animalier d'Aqualia, dans un vivarium. On dirait qu'ils se sont évadés... C'est mauvais signe. Si la municipalité d'Aqualia n'a pas cherché à les récupérer, c'est qu'elle a de gros problèmes.

Peggy Sue ne pouvait détacher son regard du serpent.

« J'ai l'impression qu'il fait ça pour nous mettre en garde contre ce qui risque de nous arriver si nous ne faisons pas demi-tour sur-le-champ, se dit-elle. C'est de l'intimidation. »

Granny Katy enfonça l'accélérateur, jetant le camion à l'assaut d'une côte.

Pendant une dizaine de minutes ils se déplacèrent entre deux haies d'arbres mutilés. Du coin de l'œil, la jeune fille nota la présence de chênes malades dont la dilatation des fibres avait craquelé l'écorce.

— Qu'arrive-t-il si une créature vivante se fait mordre par un reptilon ? demanda le chien bleu.

— *Elle explose*, répondit Katy Flanaghan, comme les arbres.

— Il n'existe pas de sérum antivenimeux ?

— Non.

Au sommet de la côte, ils découvrirent les restes d'un petit parc d'attractions foraines. Les chevaux multicolores du manège offraient au regard des flancs criblés de longues échardes. Peggy frissonna en comprenant soudain ce que les fantômes des vacanciers avaient essayé de lui dire lorsqu'ils étaient apparus dans la lande, devant l'hôtel ! Ils avaient trouvé la mort ici même. Voilà pourquoi ils lui avaient fait signe de ne pas aller plus loin. Elle avait eu tort de ne pas prendre l'avertissement au sérieux.

« Quand les arbres éclatent, songea-t-elle, les débris de bois doivent siffler comme des flèches. »

La grande roue de la loterie avait, elle aussi, été transpercée à la manière d'une cible. Un serpent dormait, enroulé autour du portique d'une balançoire, et sa présence au milieu de ce décor réservé aux enfants avait quelque chose de maléfique.

Peggy Sue eut brusquement envie de lui jeter une pierre pour le forcer à décamper. Elle posa la main sur la manivelle commandant l'ouverture de la vitre latérale. Granny Katy bondit :

— Ne touche pas à ça ! Il faut rester à l'abri, si un arbre éclate, on peut se retrouver transformés en pelotes d'épingles. Ce sera comme si on nous bombardait de fléchettes.

Pour lui donner raison, un petit bouleau boursouflé se volatilisa à dix mètres du capot. Un essaim d'échardes se répandit dans l'air et aspergea le pare-brise du camion. Peggy Sue sursauta. Par bonheur, les projectiles — trop mous — se contentèrent d'érafler la carrosserie sans la transpercer. Granny Katy et ses passagers demeurèrent un moment silencieux, scrutant la forêt dévastée. Au loin, on devinait le disque luisant d'une étendue d'eau et les formes d'une ville aux bâtiments blancs : Aqualia.

— Bon sang, marmonna Granny Katy, je me demande si on ne ferait pas mieux de rebrousser chemin. Il se passe ici des choses bizarroïdes.

— Dépêchez-vous ! lança le chien bleu. Les serpents se dirigent vers nous, je crois qu'ils veulent s'en prendre aux pneus du camion.

— C'est vrai, Grand-mère, confirma Peggy. Est-ce dangereux ?

— Oui, fit Katy. Le venin des reptilons est un explosif à usage multiple. Ils peuvent transformer en bombe tout ce qu'ils mordent.

Le camion amorça sa descente. Le vent amenait à présent des bouffées d'humidité qui laissaient un léger goût de vase sur les lèvres.

Peggy Sue plissa les yeux, essayant de mieux distinguer les détails de la cité balnéaire. Pour le moment, elle voyait une masse de bâtiments qui paraissaient sculptés dans de la crème Chantilly. Nul bruit, nulle musique n'en montait, et cela lui fit peur.

Comme s'ils avaient perçu le changement d'atmosphère, les chats de sérénité avaient choisi de se taire. Peggy Sue se prit à regretter leurs miaulements de protestation.

Une lande entourait la ville; dès que le camion s'y engagea, Peggy Sue comprit qu'ils se déplaçaient au milieu d'un ancien champ de bataille.

Un peu partout, des chars d'assaut gisaient sur le flanc, éclatés telles de vulgaires boîtes de conserve.

— Ça a chauffé dur par ici! observa le chien bleu. On dirait que la police d'Aqualia a livré un combat décisif.

— Un combat qu'elle a perdu, murmura Peggy en pressant son visage contre la vitre.

Elle fixait toujours avec stupeur les chars, les automitrailleuses réduits en charpie.

— Tu as vu! s'étonna le chien bleu, les canons sont aussi mous que des nouilles trop cuites, ils pendent par terre.

— C'est à cause du venin des reptilons, expliqua Granny Katy. Il a ramolli les blindages avant de faire exploser les chars d'assaut.

Peggy n'osait imaginer ce qui avait pu arriver aux conducteurs de ces machines de guerre.

Un bruit sourd la fit sursauter. Tournant la tête, elle aperçut à travers la brume flottant sur la lande la silhouette d'un grand robot dont le torse portait le mot POLICE, en lettres blanches. La créature de métal semblait en piteux état. Elle marchait en zigzag et, tous les trois mètres, frappait le sol de ses énormes poings. *Boum... Boum...* comme si la lande était un tambour.

— Hé! souffla le chien bleu, j'espère que cet énergumène ne va pas venir dans notre direction. Il pourrait aplatir le camion d'une seule main!

— Je pense qu'il essaye d'écraser les reptilons, dit Katy Flanaghan. C'est un auxiliaire automatisé de maintien de l'ordre. On ne lui a pas signifié que la bataille était terminée, alors il continue à se battre.

Peggy Sue examina l'androïde. Il mesurait quatre mètres de haut et son armure était complètement rouillée par la pluie.

« Il est dehors depuis des semaines, songea-t-elle. Ses chefs ont probablement trouvé la mort au cours de la bataille. C'est un miracle qu'il soit encore en état de fonctionner. »

Un nouveau coup de poing fit trembler le sol. A présent, le robot tournait sur lui-même, martelant la terre avec fureur. *Boum... boum...*

— Il est encerclé ! annonça le chien bleu. Les serpents sont trop nombreux, il ne pourra pas les écraser tous.

— Oh ! Granny, gémit Peggy Sue, ne peut-on rien faire pour l'aider ?

— Ce n'est qu'une machine, répondit la vieille dame. Je suis beaucoup plus inquiète en ce qui nous concerne. Je ne sais comment nous sortir de ce pétrin.

Là-bas, le robot s'agitait désespérément, mais il était à court d'énergie et ses articulations rouillées ralentissaient ses gestes ; les reptilons n'avaient aucune difficulté à esquiver ses coups. Soudain, l'un d'eux le mordit au pied gauche et se retira aussitôt. Peggy fronça les sourcils. Deux petits trous marquaient le métal à la hauteur de la cheville.

— Comment les crocs ont-ils pu traverser l'acier? interrogea-t-elle.

— Je pense que leur propriétaire a sécrété une sorte d'acide, lui répondit sa grand-mère. Avec les animaux extraterrestres, tout est possible.

— Il ne tape plus, fit le chien bleu. Les serpents s'en vont. Ils savent qu'il est fichu.

Peggy Sue serra les dents. Certes, le robot n'était qu'un assemblage de pièces métalliques, mais elle ne pouvait s'empêcher de penser qu'au cours de la bataille, bien des humains avaient dû subir un sort identique.

La grande silhouette de fer battit des bras, comme si elle avait du mal à conserver son équilibre. De la fumée s'échappait de sa cuirasse.

— Il chauffe! commenta le chien. Regardez! l'acier change de couleur! Il est en train de rougir! Dans deux minutes, ce ne sera plus qu'un four géant monté sur pattes.

— Il va exploser! cria Granny Katy. Fichons le camp d'ici avant d'être aspergés de métal en fusion!

Elle malmena le changement de vitesse, essayant d'exécuter un demi-tour au milieu de la route. En vain; le vieux camion rechignait à la manœuvre.

— Le robot bouillonne! glapit le chien bleu. Ça va péter d'une seconde à l'autre!

Terrifiée, Peggy Sue jeta un bref coup d'œil par-dessus son épaule. L'androïde avait l'air d'une bougie à moitié fondue. Sa tête ramollie coulait sur ses épaules tandis qu'un bouillonnement interne boursouflait son poitrail.

— Couchez-vous! hurla Granny Katy. Il est sur le point d'éclater.

Saisissant sa petite-fille par la nuque, elle la força à baisser la tête et se coucha sur elle pour la protéger. Pendant ce temps, le chien bleu se recroquevillait entre l'accélérateur et le levier de vitesse.

Peggy Sue entendit une espèce de « plop » sourd, comme en produirait un ballon dirigeable en crevant. Aussitôt, le camion fut aspergé par une matière qui ressemblait à de la lave, mais qui était de l'acier en fusion.

Par bonheur, aucune gouttelette ne pénétra dans l'habitacle et personne ne fut blessé. Quand Peggy Sue se redressa, rien ne subsistait du robot sinon des tôles ramollies, éparpillées à travers les ajoncs, et qui évoquaient des flaques de chewing-gum argenté.

— Voilà ce qui se passerait si les reptilons mordaient le camion, souffla Granny Katy. On en a assez vu. Je crois qu'il est temps de rentrer chez nous.

Mais, alors que la vieille dame manœuvrait pour repartir en sens inverse, Peggy Sue poussa un cri d'alarme.

— Là-bas! hoqueta-t-elle, devant...

Des centaines de reptilons leur barraient désormais la route. Il en sortait de partout! Rampant à travers les touffes d'herbe, ils formaient une ligne menaçante et sinueuse qui convergeait vers le camion.

— Essayons de leur passer dessus! grogna le chien bleu. On les écrasera sous nos roues!

— Non, fit Peggy. Ils sont bien trop nombreux. Nous en aplatirons quelques-uns, mais les autres escaladeront la carrosserie.

Granny Katy hésita.

— De ma vie je n'ai jamais vu autant de serpents, haleta-t-elle. Ou c'est une hallucination... ou bien ils ont envahi le pays !

— Je ne crois pas qu'il s'agisse d'une hallucination, bredouilla Peggy Sue. Si nous essayons de forcer le barrage ils nous piqueront, mieux vaut rouler en direction de la ville pour demander de l'aide. Vous avez vu ce qui est arrivé au robot ? Vous avez envie d'être transformés en pudding humain ?

— D'accord, souffla Katy. Éloignons-nous de ces vilaines petites choses.

Et, cramponnée au volant, elle tourna le mufle du camion vers Aqualia.

Le véhicule fit un bond en avant, s'arracha aux ornières et roula vers les premiers immeubles. Sa course ne tarda pas à soulever une véritable tourmente de sciure qui lui dessina un panache doré. Peggy Sue pensa que ce sillage devait signaler leur présence à dix kilomètres à la ronde.

Un nouveau panneau défraîchi salua leur arrivée :

Aqualia. Ville des vacances. Son lac, ses baleines, son zoo des mille merveilles. Ses serpents rigolards !

Le camion tressauta sur les premiers pavés. Il était trop tard pour faire demi-tour...

Dans la cité fantôme

Vide de badauds, de promeneurs et d'habitants, la cité — avec ses constructions blanches — avait l'air d'une ville fantôme. Un vent de sable crépitait sur les façades écaillées et les vitrines. Dans les boutiques, les vêtements et les livres, décolorés par le soleil, avaient pris cet air misérable des objets oubliés au fond d'un grenier. Le sable accumulé dans les interstices des volets montrait qu'on n'ouvrait plus ceux-ci depuis longtemps.

— Où sont passés les vacanciers? grogna le chien bleu. C'est mauvais tout ça. Je flaire encore une odeur monstrueuse.

Les mains soudées au volant, Granny Katy avait perdu son habituel sourire. A chaque croisement, elle jetait des coups d'œil inquiets de part et d'autre du véhicule.

— Où sont les gens? souffla-t-elle. En cette saison, ça devrait grouiller de monde.

Ils arrivèrent enfin sur une petite place que coupait en deux un large pointillé tracé sur la chaussée à la peinture jaune. Peggy Sue songea que cette ligne rappelait les frontières multicolores des cartes de géographie. Un panneau avait été fiché dans un trou du bitume. Une inscription le rayait horizontalement, proclamant en lettres inégales :

Attention! Si vous pouvez lire ce panneau il est déjà trop tard. Inutile de faire demi-tour, les reptilons ne vous laisseront pas passer. Vous êtes, comme nous tous ici, prisonniers d'Aqualia. Bonne chance, essayez de survivre du mieux possible.

Votre ami, le Maire (qui est désolé mais n'y peut pas grand-chose!).

Granny Katy eut une grimace égarée, mais déjà les roues du camion avaient franchi la ligne fatidique.

— C'est une histoire de fou! balbutia la vieille dame.

Peggy Sue haussa les épaules. Depuis trois minutes, elle avait repéré des ombres derrière les rideaux. Des gens se cachaient là. De quoi avaient-ils peur? Elle se rappela les avertissements du loup-garou mangeur de carottes. Peut-être aurait-elle mieux fait de l'écouter?

— L'adresse de la boutique, questionna-t-elle, c'est encore loin?

— Non, à deux rues d'ici.

Granny Katy donna trois coups de volant. La sueur piquetait son front, précipitant ses gouttelettes salées dans la crevasse des rides. Ils s'engagèrent dans une ruelle. Les portes des maisons avaient été peintes en bleu et les numéros remplacés par des noms de fleurs.

— C'est là, souffla Granny Katy. La boutique avec l'enseigne en forme de poisson. Descends, je vais rouler au ralenti.

Peggy Sue hésita, ouvrit la portière et sauta sur le trottoir. Elle avait l'estomac noué et les jambes un peu molles. Elle pressa le pas, dépassant rapidement le véhicule. Le sable accumulé par le vent craquait sous ses semelles.

Au bout de la ruelle, une enseigne métallique grinçait dans le vent : *Au Poisson chinois.*

« C'est la boutique louée par Grand-mère, pensa Peggy. Normalement, elle devrait être vide. »

Posant la main sur la poignée, elle s'aperçut que la porte n'était pas fermée. Une fille brune, au nez pointu, se tenait à plat ventre sur le sol, elle lisait un gros livre aux pages cornées : *Les Aventures du docteur Squelette.*

— Hé! lança Peggy Sue, qu'est-ce que tu fais là?

L'inconnue se releva d'un bond. Elle devait avoir seize ans. Elle portait une chemisette et un short bleu. Elle était filiforme et très, *très* grande.

— Salut, dit-elle, je m'appelle Martine. Je me suis réfugiée ici il y a trois semaines. J'étais monitrice à la colo du comité des fêtes... et puis les choses ont mal tourné. Vous venez d'arriver?

Peggy lui expliqua que Granny Katy avait loué la boutique pour la saison. Martine semblait nerveuse. Elle n'écoutait que d'une oreille.

— C'est moche, dit-elle. Vous êtes tombées dans le piège, maintenant que vous êtes entrées, les reptilons ne vous laisseront pas repartir. Ils mordent ceux qui essayent de rebrousser chemin.

— Mais pourquoi?

— Personne n'en sait rien. Nous sommes tous prisonniers de la ville. Le maire fait ce qu'il peut pour redresser la situation mais ce n'est pas évident.

— Ne bouge pas, dit Peggy, je vais chercher ma grand-mère et mon chien, tu leur expliqueras ça. Oh! mon chien est télépathe, ne t'étonne pas si tu entends sa voix dans ta tête. Réponds-lui normalement, il comprend tout.

— D'accord, fit Martine. Du moment qu'il ne prend pas mon cerveau pour un vieil os!

Peggy courut au camion et prévint Granny Katy qu'elle devait s'attendre à une mauvaise surprise. Quand les présentations furent terminées, Katy Flanaghan laissa éclater sa mauvaise humeur.

— Que se passe-t-il? lança-t-elle. Nous venions ici pour louer des chats de sérénité et vendre des gâteaux. Au lieu de ça, nous débarquons dans une ville assiégée par des serpents géants!

Martine hocha tristement la tête.

— Je suis désolée, soupira-t-elle. Je sais que vous misiez sur la saison touristique, mais des événements imprévus se sont produits. C'est assez difficile à raconter, le mieux, c'est que je vous montre. Sortons. Un conseil : si vous voulez rester en vie, faites exactement ce que je dis, sans chercher à comprendre.

Baleines en vue!

— Venez, nous allons grimper sur le toit de cet immeuble, lança Martine. De la terrasse panoramique vous verrez toute la ville, vous comprendrez alors le problème dramatique qui se pose à Aqualia.

Elle entraîna Peggy, Katy Flanaghan et le chien bleu dans le hall d'une maison envahie par le sable.

— Là-haut, nous serons face au lac, expliqua Martine; cet ascenseur fonctionne encore, profitons-en.

Ils s'installèrent tous les quatre dans la cabine exiguë. L'ascenseur montait lentement et sa course s'accompagnait d'un grésillement annonciateur de courts-circuits. Ils atteignirent enfin un palier éclairé par un vitrail représentant une sorte de baleine se déplaçant sur fond d'azur. Peggy Sue comprit qu'il s'agissait de l'emblème de la ville. Sur le dessin, les cétacés crachaient des jets d'eau par le trou qu'ils avaient au-dessus de la tête.

— Voilà! lança Martine en ouvrant un lourd vantail de bois.

La lumière du soleil les frappa de plein fouet, leur faisant cligner des paupières. Hésitants comme des acteurs amateurs qui montent pour la première fois sur une scène, Peggy Sue, Katy et le chien s'avancèrent sur la terrasse. Elle était bordée d'une balustrade de pierre blanche. Des tables rouillées avaient basculé sous les assauts du vent, s'entremêlant en un fouillis de ferraille qui grinçait à chaque bourrasque. Des cormorans, des mouettes s'envolèrent en protestant, car ils estimaient sans doute que l'endroit leur appartenait.

Peggy Sue plaça sa main en visière au-dessus de ses sourcils pour se protéger de l'éblouissement. A présent, elle distinguait la ville qui étirait son croissant de constructions au bord d'un lac gigantesque. L'eau, parcourue de vagues molles, resplendissait.

Puis elle remarqua l'amoncellement des pierres blanches qui encombraient la plage et les quais du port de plaisance : des *millions* de galets parfaitement lisses, gros comme le poing, dont l'entassement vertigineux avait fini par élever une sorte de rempart sur la rive. Ces collines instables envahissaient les rues, ensevelissant les façades des bâtiments jusqu'au troisième étage. A certains endroits, la muraille atteignait quinze ou vingt mètres de haut.

— Bon sang! grogna le chien bleu, on dirait des fortifications! Qu'est-ce que vous fabriquez? Vous avez peur d'être envahis par les écrevisses, vous bâtissez des remparts? Ce n'est tout de même pas le lac qui a rejeté ces caillasses...

— Non, répondit Martine. Le lac n'est pas responsable de cette catastrophe, mais c'est de lui que vient le danger. Cette muraille longe toute la ville, elle est plus haute de jour en jour, et bientôt elle débordera par-dessus les maisons pour nous ensevelir. Ce tas de pierraille constitue une masse instable qui ne demande qu'à se répandre sur la cité. Il y a de plus en plus d'avalanches, vous savez? Des collines qui se défont à cause d'une secousse, d'un bruit, et qui dévalent dans les rues en écrasant tout sur leur passage. Vous imaginez ce que cela peut donner lorsque cette même rue est remplie de passants?

— Je ne comprends pas, lança Peggy Sue. Vous n'avez qu'à prendre des pelles et rejeter ces cailloux dans le lac!

Martine haussa les épaules avec lassitude.

— Nous avons essayé, soupira-t-elle, mais l'entassement se reconstitue si rapidement que nos travaux de dégagement ne servent pas à grand-chose.

— Mais pourquoi cet envahissement? interrogea Granny Katy. Le lac ne peut pas rejeter une telle quantité de galets, ni surtout les entasser à une telle hauteur!

Martine sursauta, posa un doigt sur ses lèvres.

— Voilà mon patron, M. Jean, chuchota-t-elle, il habite ici, il vous dira ce que vous devez savoir. Écoutez-le bien.

Peggy Sue s'adossa à la balustrade. Un petit vieillard approchait. Son nœud papillon tordu penchait sous sa pomme d'Adam.

— Bonjour, ma toute belle! chevrota-t-il en reconnaissant Martine. Tu m'amènes encore une bande de nigauds qui se sont laissé piéger par les reptilons? Ça n'arrêtera donc jamais?

— Peggy Sue et Granny Katy, dit brièvement Martine en guise de présentation. Et voici M. Jean, le président du comité des fêtes.

— Tu peux dire l'ex-président, lança le vieil homme. Il n'y aura plus de fêtes dans notre bonne ville tant que les monstres y feront la loi. Quand je pense que nous avons exploité ces bêtes des années durant, en toute quiétude, et qu'aujourd'hui, *subitement...* Ah! ce zoo d'animaux extraterrestres était une bien mauvaise idée. Nous n'aurions jamais dû importer ces créatures infernales.

Il s'accouda à la balustrade, contempla la barrière de cailloux qui débordait dans les rues adjacentes.

— Misère! souffla-t-il, vous la voyez, la menace? Elle pèse sur les maisons, sur les toits. Bientôt elle emplira les greniers de ses cailloux ronds, puis elle crèvera les planchers! Nous mourrons tous enseveli! Et ne m'accusez pas de défaitisme, je sais ce que je dis!

Martine posa la main sur son bras.

— Ne parlez pas comme ça, monsieur Jean, chuchota-t-elle, vous êtes déprimé. Ces personnes vendent des chats de sérénité, c'est exactement ce qu'il vous faut.

M. Jean renifla.

— A dix heures, les créatures du diable vont

revenir, balbutia-t-il. C'était l'heure du premier show. Et puis à quatorze heures, et ensuite...

— Monsieur Jean, insista Martine, vous vous faites du mal.

— Non, je sais ce que je dis, s'entêta l'homme. Je ne veux pas voir ça. Et vous devriez faire comme moi ! C'est dangereux de rester là ! Que le sort vous protège des avalanches !

Subitement, il leur tourna le dos et prit la fuite.

— Il a parlé d'un spectacle ! observa Peggy Sue. Qu'a-t-il voulu dire ? Il a perdu la tête ?

— Pas du tout, répondit Martine, Aqualia est victime du spectacle qui a fait sa notoriété : *le show des baleines extraterrestres !* Je sais que ça a l'air incroyable, et pourtant ! Ces animaux ne sont pas de vraies baleines. En fait, ils viennent d'une autre planète. Le comité des fêtes les a achetés en raison de leur extrême docilité. Jusqu'aux dernières vacances, les baleines effectuaient un ballet nautique autour du lac. Elles crachaient de l'eau en faisant de la musique avec le nez. Elles étaient capables d'imiter un orchestre de cinquante musiciens ! Les touristes en raffolaient, on venait de très loin pour les voir... et puis, subitement, *elles sont tombées malades.* Un virus inconnu que personne ne savait soigner. Je ne sais pas vraiment comment vous expliquer tout cela. Le mieux serait de regarder le show...

— Le show ? Il continue ?

— Pas de façon délibérée. Mais les bêtes ont été bien dressées, alors elles s'obstinent à répéter ce qu'on leur a appris.

Elle soupira, partagée entre la lassitude et la peur, puis conclut :

— Venez, nous reviendrons pour le début du spectacle, je vais vous montrer comment vendre les chats de sérénité.

Ils retrouvèrent la rue, et, pour la première fois, Peggy Sue prêta attention aux galets ronds éparpillés sur la chaussée. Gros comme le poing, parfaitement lisses, ils paraissaient d'une extraordinaire dureté. Elle ne put s'empêcher de les comparer à ces petits boulets de pierre à l'aide desquels on chargeait les canons au Moyen Age.

Martine les conduisit sur la place du marché et fit une annonce publique.

Aussitôt, les gens se précipitèrent sur les traces de Granny Katy pour louer presque tous les chats disponibles.

— Tu as vu ? marmonna le chien bleu, les matous deviennent rouges dès que les gens les prennent dans leurs bras !

— Oui, murmura mentalement Peggy Sue, ça montre à quel point ils sont stressés !

*

A dix heures, les trois femmes suivies du chien bleu se hissèrent sur le toit du bâtiment réservé aux cures thermales et s'installèrent face au lac, le dos contre les ardoises d'un dôme tarabiscoté. Le mur de cailloux recouvrait la plage à perte de vue. La jetée et même les cabines de bain avaient été ensevelies. Peggy Sue se sentait nerveuse.

— Ce que nous faisons est dangereux, dit Martine d'une voix tendue, vous savez que nous pouvons être tuées par les jets de pierres? Nous ne portons même pas de casque.

— Les baleines! hurla mentalement le chien bleu. Les voilà!

Peggy Sue se redressa. Devant elle, émergeant du brouillard de chaleur noyant la moitié du lac, six monstres bleuâtres glissaient au ralenti. On distinguait parfaitement leurs bouches molles aux lèvres souriantes, et la grande haie de fanons[1] qu'elles encadraient. La nageoire caudale horizontale, comme chez les baleines terriennes, frappait l'eau en cadence. La peau violacée brillait sous le soleil. Peggy Sue estima leur longueur à trente mètres. Les animaux se déplaçaient en formation géométrique. En les voyant, on ne pouvait s'empêcher de les comparer à des chevaux de cirque qui entament leur parade autour de la piste. Le lac ondulait. Les bouches fendues semblaient rire tandis que l'eau s'engouffrait en bouillonnant entre les lames parallèles des fanons.

— Avant, le public se tenait sur la plage, chuchota Martine en rentrant la tête dans les épaules; là où s'élève aujourd'hui la muraille de cailloux blancs...

— Mais la maladie dont tu parlais? s'enquit Peggy Sue.

---

1. Il s'agit des « dents » de la baleine. En fait, des lamelles d'os parallèles qui lui servent à filtrer l'eau puisée et à retenir les poissons, comme le feraient les mailles d'un filet.

— Une sorte de lithiase[1], quelque chose qui reste sans équivalent sur terre, vous allez voir... murmura Martine. En longeant la grève, les baleines vont se mettre à souffler des trombes d'eau.

— Une lithiase, marmonna Peggy Sue, tu veux dire qu'elles fabriquent des... des calculs?

— Exactement. Elles aspirent l'eau du lac et, au moment de la rejeter par leur évent, la transforment en cailloux. Nous ne savons pas pourquoi, mais c'est ainsi! Attention, éloignez-vous du bord du toit, elles vont commencer!

Martine n'avait pas fini de parler que la baleine commandant la formation dilata la narine située sur le haut de sa tête, et se mit à cracher l'eau aspirée un instant plus tôt. Peggy Sue vit alors jaillir dans les airs un essaim de galets! Le geyser de pierraille monta à plus de cinquante mètres avant de retomber sur la plage, ajoutant sa contribution à la muraille déjà érigée. Les animaux qui se déplaçaient dans le sillage du chef de clan firent de même, soufflant vers le ciel une salve composée de pierres blanches et de poussière de craie. Le spectacle constituait une injure à la raison, pourtant il était réel... *dangereusement réel,* car les projectiles roulaient en crépitant sur le mur de caillasse bordant la cité.

---

1. Maladie au cours de laquelle des « cailloux » se forment dans divers organes : les reins, la vésicule biliaire. On surnomme ces drôles de petites pierres des « calculs ».

Combien de tonnes de cailloux les baleines déli-vraient-elles à chacun de leurs passages? Six, sept? Davantage? A ce rythme, il n'était pas étonnant que la muraille atteigne de telles proportions.

Peggy Sue fut tirée de ses pensées par le siffle-ment des pierres ricochant sur le mur auquel elle était adossée. Elle leva le bras pour se protéger, mais un galet gros comme une balle de ping-pong la frappa à l'épaule. Elle eut le souffle coupé par la douleur et perdit l'équilibre. Elle faillit basculer par-dessus la balustrade, heureusement Granny Katy la rattrapa par le poignet.

— Il faut redescendre, hurla Martine, nous allons nous faire lapider.

Comme pour lui donner raison, un morceau de craie lui érafla le front, faisant couler trois gouttes de sang sur sa tempe.

Le toit crépitait comme un tambour, des tuiles éclataient, volaient en pièces, zébrant l'air de leurs débris tranchants.

— C'est un coup à se faire aplatir! rugit le chien bleu. Allez! On fiche le camp!

Ils se replièrent dans la confusion, les oreilles pleines du martèlement de l'attaque. Se heurtant les uns aux autres, ils dévalèrent l'escalier jusqu'au rez-de-chaussée. Mais quand Peggy Sue voulut ouvrir la porte donnant sur la rue, Martine l'arrêta avec un cri de frayeur.

— Pas maintenant! hurla-t-elle. Il faut attendre qu'elles s'éloignent. C'est pendant le show que se produisent les avalanches.

Peggy nota que la grande fille brune était blême, le filet de sang qui serpentait sur sa tempe donnait un poids sinistre à ses paroles.

La petite troupe quitta le bâtiment au bout d'une demi-heure. Ils étaient tous assez secoués, et le retour à la boutique s'effectua en silence.

Une fois assise dans la salle à manger, sous l'œil des sculptures naïves ornant la cheminée, dans ce décor de napperons et de coussins brodés, Peggy Sue se sentit mieux. Martine émergea enfin de la cuisine. Elle apportait une bouteille d'orangeade et des verres. Un morceau de sparadrap étirait son carré rose au-dessus de son sourcil, là où la pierre l'avait frappée. Elle fit le service puis se redressa pour aller chercher des biscuits dans un buffet noirâtre. Ils burent sans échanger une parole. A la deuxième rasade, Granny Katy sortit de son mutisme.

— Mais enfin! s'étonna-t-elle, pourquoi n'essayez-vous pas de soigner ces bêtes?

Martine haussa les épaules.

— Personne ne sait ce qu'il faut faire.

— Il est sûrement possible d'inventer une potion magique qui soignerait ces animaux, grommela Katy Flanaghan. Je vais y réfléchir. Mais pour mener mes travaux à bien, il me faudrait un échantillon de leur peau. Pourrais-tu me procurer ça, Peggy?

— Sans doute, répondit sa petite-fille. Je vais recomposer Sebastian grâce à l'eau du lac. Quand il reprend forme humaine, son corps est aussi solide qu'une armure, il pourra encaisser les jets de pierres sans avoir mal, lui.

— Dans quel guêpier nous sommes-nous encore fourrés? se lamenta le chien bleu. Comme si nous ne pouvions pas rester à Shaka-Kandarec où j'avais fini par me constituer une provision de bons vieux os!

Sifflements dans la nuit...

Peggy Sue avait donc décidé qu'il était temps de ramener Sebastian à la vie. D'une part, il lui manquait cruellement, d'autre part elle savait que son aide serait la bienvenue au cours de l'aventure qui s'annonçait.

— L'eau qui coule des robinets provient-elle du lac? demanda-t-elle à Martine.

— Non, répondit la grande fille au nez pointu. Seules les fontaines publiques sont alimentées par le lac. Pourquoi?

Peggy ouvrit sa valise, en tira le sac de sable magique et dit :

— C'est mon petit ami. Quand il se dessèche, il tombe en poussière, il faut l'arroser d'eau pure pour lui redonner forme humaine.

— *Waou...* souffla Martine, ça ne doit pas être très pratique. (Elle réfléchit, puis déclara :) l'eau du robinet contient de l'eau de Javel, ça n'ira pas. Seule l'eau du lac est préservée de la pollution chimique. Les canalisations vont la chercher au plus profond des abîmes. Quand elle jaillit des fontaines, elle est si glacée qu'elle vous coupe le souffle.

— C'est parfait, décida Peggy Sue. Conduis-moi à la fontaine la plus proche.

Martine fit la grimace.

— Il y a un problème, annonça-t-elle. Toutes les fontaines sont des repaires de reptilons, ils aiment s'y baigner. Sur leur planète, c'était probablement des serpents de marécage. Tu sais ce qui arrivera si l'un d'eux te mord? *Tu gonfleras comme un ballon de baudruche puis tu exploseras.*

— Je sais, dit Peggy Sue, mais je dois tout de même y aller. Si tu as peur, dessine-moi le chemin sur un plan.

— Non, soupira Martine, trop compliqué, tu te perdrais. Je te guiderai. Mais il faudra attendre la nuit. Les serpents voient mal dans l'obscurité, on aura davantage de chances de leur échapper.

Les deux adolescentes occupèrent le reste de l'après-midi à fabriquer des pantins de chiffon à l'aide de vieux oreillers.

— On leur mettra des vêtements, expliqua Martine, et on les arrosera de sirop de groseille pour leur donner une odeur.

— Ce sont des leurres? s'enquit Peggy.

— Oui, confirma Martine. Si un reptilon se dirige vers toi, jette-lui la poupée à la figure, il mordra dedans comme un fou, ça videra ses glandes à venin et le rendra inoffensif pendant une heure, le temps que ses réserves de poison se reconstituent.

*

Quand le soleil se coucha, les deux jeunes filles sortirent de la boutique, accompagnées du chien bleu. Chacune portait un pantin sur le dos.

— Moi, s'ils approchent, je les mordrai, déclara l'animal. Il paraît que si on attrape un serpent par la nuque, il ne peut rien faire.

— Ne joue pas les héros, souffla Peggy. Je ne veux pas te perdre.

La nuit envahissait les rues. On entendait les galets, roulant çà et là. La fontaine occupait le centre d'une petite place. Peggy Sue repéra les serpents, enroulés autour des réverbères et des bancs publics.

— Quelle drôle d'idée d'avoir ramené ces bestioles de l'espace! grogna le chien bleu. Comme s'il n'y avait pas déjà assez de monstres sur la Terre!

— Au début, ils n'étaient pas comme ça, soupira Martine, désolée. Ils amusaient les touristes en reproduisant la forme des objets qu'on leur présentait. On leur montrait un vélo, ils se tortillaient pour l'imiter. Ils faisaient ça très bien. Les gens riaient. Il suffisait d'écrire son nom sur un papier, et les serpents se nouaient les uns aux autres pour le dessiner sur le sol.

— Et un jour ils sont devenus mauvais, compléta Peggy. *Comme les baleines.*

Elle tenait entre ses bras le sac de sable magique. Vingt mètres les séparaient de la fontaine.

« Je m'en approche en courant ou j'y vais sur la pointe des pieds? » se demandait-elle.

Les reptilons bougeaient paresseusement. L'un d'entre eux s'était suspendu au robinet de la fontaine.

— Comment vas-tu t'y prendre? interrogea le chien bleu.

— Je vais verser le sable dans l'eau, chuchota Peggy. Si elle est pure, Sebastian se recomposera en moins d'une minute.

— Et si elle est polluée? Le sable s'étalera au fond du bac. Comment le récupéreras-tu, avec tous ces serpents?

— Je ne sais pas. Il faut tenter le coup. On n'a pas le choix.

Martine s'impatienta.

— Alors? lança-t-elle. Vous comptez vous décider avant que les reptilons se réveillent?

Peggy Sue prit une inspiration et s'élança. Le chien bleu la suivit; Martine, elle, resta prudemment à l'abri des arcades. Dérangés dans leur somnolence, les boas se mirent à siffler. L'un d'eux s'amusa même à reproduire la silhouette du chien bleu. Un autre dessina sur le sol le profil de Peggy Sue. C'était assez ressemblant.

« Des serpents dessinateurs, songea l'adolescente, on aura tout vu! »

Le cœur battant, elle atteignit la fontaine. Aussitôt, elle posa le sac de sable sur le rebord de la vasque de pierre, et le renversa dans l'eau.

« Que se passera-t-il si Sebastian se fait piquer? » se demanda-t-elle avec angoisse.

— Ne t'inquiète pas, grogna le chien bleu. Il n'est pas humain, le venin explosif n'aura aucun effet sur lui.

— Je l'espère, soupira la jeune fille en se reculant.

Les reptilons s'énervaient. Leurs sifflements emplissaient la nuit. Un grand bouillonnement se produisit au centre du bassin. Sebastian émergea enfin, ses longs cheveux noirs collés sur son visage aux yeux bridés.

— Zut! souffla-t-il, je suis encore tout nu. Bien évidemment, personne n'a pensé à m'apporter un slip?

Son apparition provoqua le réveil des serpents qui dressèrent la tête en dardant leur langue fourchue.

— Hé! hoqueta Sebastian, c'est quoi ces bestiaux?

— Viens vite, lui souffla Peggy Sue, nous sommes en danger, je t'expliquerai.

Si elle s'était écoutée elle aurait sauté au cou du garçon, mais la situation ne s'y prêtait guère.

— Ne jouez pas les amoureux, s'impatienta le chien bleu, les reptilons commencent à s'intéresser un peu trop à nous.

Peggy se saisit du pantin qu'elle portait toujours accroché dans son dos et le brandit devant elle.

— Attends! souffla Sebastian. Passe-moi les vêtements qui sont sur cette poupée, ça me permettra de m'habiller.

Alors que le garçon enfilait les vieilles loques, une chose étrange se produisit. Les serpents se tortillèrent sur le sol pour former des lettres, puis des mots... Leurs corps, d'une incroyable souplesse, traçaient des phrases d'une belle écriture penchée.

Les yeux écarquillés par la stupeur, Peggy Sue lut :

Ne te mêle pas de nos affaires, petite fille.

— Nom d'une saucisse atomique ! aboya le chien bleu. Les voilà qui nous menacent !

Va-t-en, écrivirent encore les reptiles, *tu n'as pas conscience de ce qui se prépare ici.*

Peggy leur jeta le pantin de chiffon en pâture, mais les serpents ne prêtèrent aucune attention à ce leurre grossier.

« Ils sont beaucoup plus intelligents que Martine ne l'imagine », se dit-elle.

Enjambant les mots dessinés par les reptilons, les trois amis gagnèrent l'abri des arcades. Pendant que le petit groupe se repliait vers la boutique, Martine s'approcha de Peggy pour lui murmurer :

— C'est lui ton petit ami ? Il est super-mignon !

Il s'en fallut d'un cheveu qu'elle n'ajoute : « ... et beaucoup trop bien pour toi. »

*

Une fois arrivée au *Poisson chinois*, Peggy Sue s'aperçut que Sebastian n'avait pas encore récupéré ses facultés mentales. Le long sommeil du sable, dont il s'éveillait à peine, le laissait étourdi.

« Je meurs d'envie de l'embrasser, songeait l'adolescente, mais il y a trop de monde autour de nous. »

— Il a dormi longtemps, observa le chien bleu. Il est possible qu'une partie de ses souvenirs se soit effacé. Tomber régulièrement en poussière ne doit pas arranger la mémoire.

— Pourvu qu'il ne m'ait pas oubliée, s'inquiéta l'adolescente. Ce serait une catastrophe!

D'un commun accord, ils décidèrent d'attendre le lendemain pour mettre Sebastian au courant de la situation. Alors que Peggy Sue se préparait à aller se coucher, son attention fut attirée par un sifflement en provenance de la rue. Quand elle se pencha à la fenêtre, elle vit qu'une trentaine de reptilons rampaient sur la chaussée devant la boutique. A force de se tortiller, ils avaient fini par former une phrase dont les mots palpitaient au rythme de leurs contractions musculaires :

Dernier avertissement : pars ou nous te tuerons.

— C'est bizarre, observa le chien bleu. On dirait qu'ils ont peur de toi.

Avertisssssssssssssements...

— A mon avis, ce ne sont pas des serpents ordinaires, déclara Granny Katy le lendemain matin, au petit déjeuner. Ils sont trop intelligents pour ça. J'ai même l'impression qu'ils te connaissent, Peggy.

— Peut-être ont-ils entendu parler de moi par les Invisibles ? suggéra la jeune fille. Après tout, ils viennent eux aussi d'une autre planète.

— Les Invisibles ont disparu, protesta le chien bleu, ils ne font presque plus parler d'eux.

— C'est vrai, admit Katy Flanaghan, mais il existe autant d'espèces de fantômes que de races de chiens. Il convient donc de rester prudent.

Peggy Sue décida de tromper sa nervosité en tricotant la laine du loup-garou troquée dans la forêt. Elle en ferait un pull d'un beau noir brillant qui lui tiendrait chaud au milieu des pires tempêtes de neige. Elle s'installa sur un vieux canapé, à côté de Sebastian, et entreprit d'expliquer au garçon ce qui se passait. L'adolescent avait toujours l'air égaré.

— C'est à cause des métamorphoses, dit-il soudain. A force d'être transporté dans un sac, je perds un peu du sable qui me compose, c'est inévitable. Chaque grain qui tombe est un souvenir qui s'efface de ma mémoire. Hier soir, en sortant de la fontaine, je me suis demandé qui j'étais. Je ne me souvenais plus de mon nom. Heureusement, tu as crié : « Sebastian », alors j'en ai déduit que je m'appelais ainsi.

Abandonnant ses aiguilles, Peggy se jeta dans ses bras.

— C'est pour ça que nous sommes venus ici, à Aqualia, expliqua-t-elle en retenant ses larmes. L'eau y est tellement pure que tu ne courras plus le risque de te dessécher. Il te suffira de vivre au bord du lac et de rester au contact de l'eau. Tu pourrais devenir maître nageur, donner des cours de plongée sous-marine, ou ce genre de truc, non ?

— Oui, ce serait super ! s'exclama Sebastian. Ça me plairait bien, c'est une idée géniale !

— Hé ! les amoureux, grommela le chien bleu, je ne voudrais pas jouer les rabat-joie mais je vous signale qu'en ce moment même trente-cinq serpents se tortillent sur le trottoir, devant la boutique. Ils ont écrit : *Dernier avertissssssement. Préparez-vous à mourir.*

Petit guide touristique
à l'usage des survivants

Au bout de quarante-huit heures, Peggy Sue, Sebastian et le chien bleu décidèrent de mettre en commun les informations qu'ils avaient pu rassembler sur Aqualia. Ils pensaient, de cette manière, parvenir à dresser une carte des principaux pièges de la station balnéaire.

— La muraille de galets fonctionne comme le mur d'enceinte d'une prison, déclara Peggy Sue. Elle bouche l'horizon, mais aussi les rues qui mènent à la plage ou au port, les transformant en impasses.

— C'est vrai, fit Sebastian, dès qu'on tente de descendre vers le lac on tombe sur un barrage de pierraille qui s'élève jusqu'aux toits des immeubles. On n'a plus qu'à rebrousser chemin. *Il est impossible d'accéder au lac.*

— La muraille est partout, murmura Peggy Sue.

Souvent, lors d'une exploration, il lui était arrivé de s'immobiliser au milieu de la chaussée pour observer avec angoisse cette barricade blanche qui ne laissait voir que le ciel. Peggy l'avait sentie fragile, prompte aux effondrements. Depuis, chaque fois qu'un galet se détachait de la masse pour rouler à ses pieds, elle craignait que la montagne tout entière ne suive.

— Les cailloux envahissent la ville, marmonna le chien bleu, maussade. C'est comme une pieuvre de pierre qui étendrait ses tentacules dans les rues.

— Exact, renchérit Sebastian. On dirait une armée qui lancerait des bataillons de galets vers le cœur de la cité. Ça progresse peu à peu.

— Une pieuvre, répéta le chien bleu. Une pieuvre de pierre, elle glisse ses bras par les fenêtres ouvertes. Elle comble doucement les immeubles, les remplissant de la cave au grenier, les bourrant de pierres blanches.

— C'est vrai, approuva Peggy Sue. Beaucoup de gens ont dû prendre la fuite car leurs appartements se remplissaient de cailloux.

De nombreuses maisons éclataient lorsque la pression exercée par la masse des galets devenait intolérable. On les voyait alors exploser, projetant leur maçonnerie en tous sens, vomissant des torrents de pierres qui se mettaient à rouler le long des rues, entraînant dans leur sillage des milliers d'autres galets arrachés au rempart. Rapidement la troupe grossissait, le ruisseau se faisait fleuve, se jetait dans les rues en pente. Et les cailloux s'entrechoquaient comme des billes, rebondissaient dans les airs, ricochant sur les façades dont ils faisaient voler les vitres.

Tout le quartier se mettait à trembler et un seul mot courait sur les lèvres blanchies par la peur : « L'avalanche ! » Car c'était bien cela qui se produisait : une avalanche dont les galets emplissaient la chaussée de leur flot grondant, laminant tout sur leur passage, brisant les chevilles et les crânes des imprudents, les renversant pour mieux les écraser.

— Les immeubles supportent très mal ces bombardements, grogna Sebastian.

Le chien bleu hocha la tête.

— Lorsque les galets ont atteint une certaine vitesse, plus rien ne peut les arrêter, déclara-t-il. Ils se transforment en boulets de canon et transpercent les façades.

Peggy Sue frissonna.

— Martine m'a expliqué qu'à certains endroits, les tas de cailloux sont si fragiles que le moindre bruit suffisait à faire naître une avalanche, ajouta Sebastian. Dans ces zones, il est interdit de parler à voix haute et les habitants ont pris l'habitude de s'exprimer en écrivant sur des carnets. Sitôt la conversation terminée, on arrache les feuilles gribouillées, si bien que les rues sont pleines de papiers froissés couverts de bribes de dialogues. C'est très étrange.

Peggy Sue ne dit rien mais fronça les sourcils. Depuis un moment, elle trouvait que Martine tournait un peu trop autour de Sebastian. Elle n'aimait pas ça.

Danger d'avalanche

La location des chats de sérénité marchait mieux que celle des cassettes vidéo de la boutique voisine. Tout le monde en voulait car tout le monde avait peur. Peggy et Martine ne cessaient de courir à travers Aqualia pour les livrer dans un panier d'osier.

Un jour qu'elles avaient marché toute une matinée, les deux jeunes filles se retrouvèrent au pied d'un immeuble en mauvais état.

— C'est la dernière adresse, observa Martine. Après on pourra rentrer. Pas trop tôt, j'ai les pieds en compote.

— Hé, c'est dangereux d'entrer là, dit Peggy Sue, regarde cette maison, elle est craquelée de partout ; la pierraille doit lui bourrer le ventre...

— Trouillarde ! siffla Martine en s'avançant vers la porte d'entrée.

Le hall de l'immeuble baignant dans une pénombre de caverne, les deux adolescentes hésitèrent sur le seuil.

— C'est au troisième, déclara Martine. On livre et on s'en va.

Le bâtiment avait quelque chose d'oppressant. « C'est comme si on pénétrait dans une épave accrochée à la pointe d'un écueil, songea Peggy Sue. Un navire pourri qui peut basculer d'une minute à l'autre au fond des abîmes si une vague frappe sa coque. »

Elle fit part de cette impression à Martine qui ricana. Décidément, cette fille devenait agaçante ! (*Et puis cette manière qu'elle avait de tourner autour de Sebastian...*)

Peggy saisit la rampe de l'escalier avec une certaine appréhension.

— Monte ! ordonna Martine dans son dos. On ne va pas y passer la journée !

Peggy obéit. La lumière de l'extérieur pénétrait à travers les fentes des volets, traçant des lignes dorées dans la pénombre.

Martine poussa une porte au troisième. Le battant pivota avec un grincement, leur dévoilant la perspective d'un appartement aux meubles couverts de poussière. Les volets avaient éclaté sous la pression des cailloux amoncelés contre la façade. Profitant de cette brèche, les galets avaient coulé sur les tapis, roulé sous les armoires. Certaines cloisons, bombées à l'extrême, prouvaient que les chambres étaient déjà pleines à craquer. Des lézardes ouvraient dans le papier peint des grimaces menaçantes.

— Faut pas rester ici, mes mignonnes ! chevrota une voix d'homme âgé derrière les jeunes visiteuses, toute la maison est dilatée comme un boyau trop plein !

Peggy Sue distingua une silhouette voûtée, enveloppée d'une couverture écossaise, au creux d'un fauteuil. La lumière tombant des volets éclairait deux mains pâles échouées sur les accoudoirs.

— Vous avez commandé un chat de sérénité, dit-elle.

— Regardez! reprit le vieillard qui semblait ne pas l'avoir entendue. Les services de sécurité ont étayé le plafond mais ce n'est plus suffisant, l'appartement du dessus est bourré de cailloux, il pèse sur ma tête comme si on y parquait un troupeau d'hippopotames!

— Pourquoi ne partez-vous pas? demanda Peggy Sue.

— Parce que c'est ma maison! s'entêta le vieillard. Ma maison.

Martine tira Peggy par la main.

— Laisse-le, souffla-t-elle. Filons d'ici, c'est trop dangereux.

Elle allait ajouter quelque chose quand un cri d'enfant monta de l'extérieur :

— Les baleines! Elles arrivent!

Martine tressaillit, regarda sa montre.

— Bon sang! haleta-t-elle, *elles sont en avance,* nous allons nous retrouver bloquées ici!

Elle courut vers la fenêtre, essayant d'apercevoir le lac entre les lames des volets. Peggy Sue sortit le chat du panier.

— Préparez-vous au pire, mes petites demoiselles! chevrota le vieillard. Chaque jour l'immeuble embarque un peu plus de cailloux. C'est comme lorsqu'on essaye de rentrer des pièces à coups de marteau dans une tirelire déjà pleine : elle finit par éclater !

— Sortons d'ici ! lança Peggy Sue. Venez, monsieur, nous vous emmenons !

Martine secoua négativement la tête

— Tu es folle ! siffla-t-elle. Les avalanches ont lieu à l'heure du show. Les rues vont se remplir de cailloux ! Nous n'allons pas traîner ce bonhomme avec nous ! Il est trop lent, il va se faire réduire en miettes.

Les adolescentes s'immobilisèrent, écoutant anxieusement les bruits du dehors. Peggy Sue crut percevoir un clapotis, ponctué de grandes gifles assenées à la surface de l'eau. Les queues des baleines ! Cela se rapprochait. Elle imagina les cétacés, avec leur grande bouche grimaçante... Au sommet de leur tête, l'évent palpitait, prêt à se dilater.

Il y eut un souffle puissant, une sorte d'éternuement de locomotive sous pression, puis ce fut le choc des pierres contre la façade, le rebond des projectiles cascadant sur les collines de galets.

Peggy Sue frissonna. Les volets obstruant la fenêtre de la chambre explosèrent au même moment, vomissant un flot de cailloux. Les pierres se répandirent sur le sol dans un vacarme effroyable. Une poussière blanche, crayeuse, poussait ses volutes à travers l'appartement, rendant l'air irrespirable. Peggy Sue et Martine durent battre en retraite. Au passage, Peggy força le vieil homme à quitter son fauteuil. Il obéit en grommelant et insista pour emporter sa couverture écossaise.

Soudain, les lézardes qui zébraient le mur se mirent à bâiller. Peggy Sue n'eut que le temps de pousser ses compagnons derrière un canapé et de se jeter sur eux, la cloison éclata avec une déflagration sèche, une véritable houle de galets se rua dans la salle à manger. Peggy se redressa. Les cailloux roulaient sur le plancher, heurtant douloureusement ses chevilles. Elle voulut faire un pas en direction de la porte mais une pierre la frappa au genou, lui faisant perdre l'équilibre. Elle tomba. D'autres projectiles la touchèrent au flanc et à la cuisse. Martine la saisit sous les bras et la tira sur le palier. Peggy se laissa faire. Le vieillard les suivit, hébété. Le chat leur passa entre les jambes et disparut.

Dans la cage d'escalier, c'était l'enfer. Les portes des appartements situés aux étages supérieurs avaient cédé, vomissant des galets qui roulaient sur les marches en un flot continu. Cette pluie de pierres s'écoulait vers le hall, menaçant d'obstruer la porte d'entrée. Martine colla Peggy Sue contre le mur et la força à descendre. C'était de plus en plus difficile car les marches commençaient à disparaître pour faire place à une sorte de talus constitué de cailloux à l'empilement instable.

A son tour, Martine se tordit la cheville et dévala la pente sur le dos, entraînant Peggy Sue à sa suite. Les deux filles roulèrent cul par-dessus tête au milieu du hall. Toute la bâtisse tremblait. Un roulement effroyable montait de la rue, comme si des milliers de chevaux fous martelaient la chaussée. La poussière s'épaississait, réduisant la visibilité à quelques mètres.

— L'immeuble va s'effondrer! hurla Martine. Il faut sortir!

— Le vieux monsieur? cria Peggy. Où est-il?

Elle rampa vers la porte donnant sur la rue, mais ce qu'elle vit dehors la fit reculer.

Un véritable fleuve de pierres roulantes recouvrait à présent la chaussée, ne laissant nul endroit où poser le pied.

— Aide-moi! lança-t-elle à Martine. La porte, là! On peut en faire un radeau!

Elle désignait l'un des battants de la porte cochère que la mitraille des galets avait sorti de ses gonds. C'était un panneau de bois renforcé de ferrures. Les secousses l'avaient jeté sur le sol, en travers du seuil. Avec un peu de chance on pourrait en faire une sorte d'« embarcation ».

Soudain, la voûte se tassa.

— Les étages sont en train de s'emboîter les uns dans les autres! haleta Martine. Il faut y aller!

En loques, barbouillée de craie et de sang, elle ressemblait à un fantôme. Peggy Sue saisit la grosse poignée de cuivre vissée sur le battant et entreprit de le pousser à l'extérieur, comme si elle mettait une barque à flot.

— Saute! ordonna-t-elle à Martine. Saute! (Avisant le vieil homme recroquevillé dans un coin du hall, elle ajouta :) Vous aussi, monsieur!

Ils se jetèrent à plat ventre sur la porte transformée en canot de sauvetage.

Au moment où Martine et le vieillard rejoignaient Peggy, le radeau improvisé se mit à dériver, emporté par le fleuve de pierres. En trente secondes il avait déjà parcouru cinquante mètres, et ne cessait de prendre de la vitesse. Les ongles plantés dans le bois noirci, les yeux au ras de la chaussée, Peggy Sue voyait défiler les façades de part et d'autre du lit de cailloux, comme un automobiliste enregistre la fuite des arbres de chaque côté de son capot. Les bras de Martine, qui se cramponnait à elle, lui broyaient la poitrine, la laissant à peine respirer. La porte tournoyait sur elle-même, bondissait, retombait.

Peggy Sue était terrifiée. Elle savait qu'à tout moment le panneau pouvait quitter la chaussée pour s'écraser contre un mur, qu'une vague de cailloux pouvait le recouvrir ou un obstacle le faire se retourner. La poussière avait atteint une telle densité qu'il devenait impossible de prévenir les chocs. Peggy aplatit son visage contre le bois et serra les dents. Le lion du heurtoir de cuivre la regardait d'un œil morne. Elle le fixa, essayant de détacher son esprit du tumulte.

Soudain, alors qu'elle n'y croyait plus, la porte perdit de la vitesse. Le torrent de galets se fit moins bruyant, les ricochets plus mous. Le tourbillon s'essouffla dans un dernier virage pour mourir au creux d'une place encombrée de débris, rejetant le radeau et ses passagers sur un trottoir désert.

Peggy Sue resta un long moment immobile. Malgré toute sa volonté, ses ongles demeuraient enfoncés dans le bois. Le nuage de poussière se dissipa enfin, dévoilant une esplanade semée d'épaves

diverses : réfrigérateurs, automobiles, baignoires...
Le tout martelé, tordu. Les trois rescapés s'aidèrent
mutuellement à retrouver la station verticale. Sans
un mot, comme des automates, ils prirent le chemin
de la boutique. Personne ne semblait leur prêter
attention, c'est à peine si l'on jetait un coup d'œil à
ces adolescentes plâtreuses, aux allures de statues
descendues de leur piédestal.

Quand elles voulurent s'occuper de lui, le vieil
homme s'enfuit en les maudissant de l'avoir
entraîné dans cette aventure.

Mission secrète

— Il faut se décider à réagir, déclara Granny Katy en servant le thé. Je vais donc essayer d'élaborer un médicament pour ces pauvres baleines, mais, je le répète, il me faudrait certains prélèvements que j'analyserai.

— Quelle sorte de prélèvements? s'enquit Peggy Sue.

— Oh! rien d'extraordinaire, je te l'ai dit : un petit morceau de chair prélevé sur leur dos.

Peggy fit la grimace.

— Tu crois sans doute qu'elles vont gentiment se laisser faire? lança-t-elle.

— Et comment les approcher, observa Sebastian, puisque les rues qui mènent au rivage sont obstruées par les galets?

— Il existe un moyen, suggéra Martine. Passer au-dessous des trottoirs. Je connais un tunnel qui serpente sous la ville et débouche sur l'une des rives. C'est un ancien égout. On ne l'utilise plus depuis longtemps pour ne pas polluer le lac, mais il est toujours là. On le fait parfois visiter aux ristes. On l'a baptisé « le repaire des pirates ». Des canots permettent d'y circuler.

— C'est exactement ce qu'il nous faut ! s'exclama Peggy. En utilisant ce tunnel on pourra accéder au plan d'eau.

— En théorie oui, dit Martine avec réticence. Mais ce ne sera pas une partie de plaisir. La nuit, les baleines se retirent au milieu du lac, là où l'eau est la plus froide. Si votre barque coule, vous ne résisterez pas longtemps dans cette flotte glacée. Ce sera comme si vous nagiez au milieu des icebergs. Vous ne tiendrez pas plus de cinq minutes.

— Je ne crains pas le froid, grogna Sebastian, je ne suis pas vraiment humain, mais j'ai peur pour Peggy.

— Je pourrais enfiler mon pull en laine de loup-garou ! lança celle-ci en se tournant vers sa grand-mère. Est-ce que ça suffirait à me protéger ?

— Oui, confirma la vieille dame. Mais attention : si tu le gardes trop longtemps, les poils prendront racine dans ta peau et tu ne pourras plus jamais les enlever. Tu auras le torse et les bras couverts d'une fourrure qui repoussera sans cesse, même si tu la rases.

— Quelle horreur ! s'écria Martine.

— Ça ne fait rien, décida Peggy Sue. Je prends le risque.

*

On attendit la tombée de la nuit avec impatience. Peggy ordonna au chien bleu de rester avec Granny Katy.

— En cas de naufrage, lui expliqua-t-elle, tu serais pétrifié par le froid et tu coulerais à pic. Je ne veux pas courir ce risque. Avec tes petites pattes, tu nages trop lentement. Si notre barque chavire au milieu du lac, tu n'auras jamais la force de regagner la terre ferme. Je ne veux pas te perdre, tu comprends ?

Lorsque l'obscurité tomba sur la ville, Martine, Sebastian et Peggy se glissèrent hors de la boutique. La fille au nez pointu les mena jusqu'à une bouche d'égout dont elle souleva la plaque.

— Voilà, annonça-t-elle, une fois en bas, vous tournerez à gauche. Au bout d'une centaine de mètres, vous trouverez les barques.

— Tu ne viens pas avec nous ? s'enquit Sebastian.

— Non, bredouilla Martine. J'ai trop peur des rats.

Peggy et Sebastian s'engouffrèrent dans le puits. Martine leur montra où se trouvait l'interrupteur commandant les lampes fixées au plafond. En dépit de l'éclairage, le souterrain conservait un aspect sinistre.

— J'ai l'impression de me promener dans l'intestin d'un monstre, grommela le garçon.

Pour amuser les touristes, on avait peint des fresques sur les parois. Des scènes de piraterie, avec des navires en feu et des combats au sabre. Peggy Sue s'empressa de prendre Sebastian par la main. Elle aurait bien aimé se blottir contre lui mais la situation ne s'y prêtait guère. Elle se prit à espérer qu'une fois cette aventure terminée, ils pourraient s'installer au bord du lac et vivre en paix.

— Tu as bien emporté ton pull? interrogea le garçon.

— Oui, répondit Peggy, je l'enfilerai à la dernière minute. Granny ne sait pas exactement combien de temps on peut porter de la laine de loup-garou sans qu'elle se colle à la peau, alors je préfère être prudente.

— Tu seras vraiment à l'abri du froid?

— Oui, c'est magique, tu sais! Je pourrais m'enfermer une journée entière dans un congélateur sans être le moins du monde incommodée.

— Ouais, à part que tu en ressortirais poilue comme un gorille!

— Non, comme une louve-garou.

Ils plaisantaient pour se donner du courage. Enfin, ils découvrirent les barques, entassées sur le quai. La plupart se révélèrent en mauvais état, pourries par l'humidité. C'étaient des canots à l'ancienne, en planches, avec des rames en bois. Ils les examinèrent pour essayer d'en trouver un capable de flotter.

— Celui-là n'a pas l'air mal, décida Sebastian. Je vais le mettre à l'eau.

N'étant pas humain, il était doté d'une force incroyable. Rien ne pouvait réellement le blesser puisqu'il était constitué de sable. La barque une fois dans le canal, les deux adolescents s'y installèrent et saisirent les rames. Au bout du tunnel s'ouvrait le lac. En pleine nuit, il semblait immense. « Une mer d'encre bleue... » songea Peggy.

— Tu vois les baleines? chuchota son compagnon.

— Je distingue une masse noire au milieu du plan d'eau, répondit l'adolescente. Ça paraît loin.

Les rames faisaient beaucoup de bruit. Peggy Sue se dit qu'on devait les entendre à trois kilomètres à la ronde. Il faisait froid. Sa respiration formait des nuages de buée au sortir de sa bouche. Elle plongea sa main dans l'eau et frissonna.

— A peine 2°C, souffla-t-elle à l'intention de Sebastian.

— C'est une eau qui provient de sources souterraines sans doute alimentées par la fonte d'un glacier, observa le garçon.

— Chut! fit Peggy, soudain alertée par un son mouillé qui n'était pas celui des rames. Tu as entendu?

— Non...

L'adolescente se pencha par-dessus la barque. La lueur de la lune lui permit d'apercevoir plusieurs reptilons qui nageaient en se tortillant. Elle avait déjà vu des vipères traverser une mare de cette façon, les reptilons usaient de la même technique, ondulant de la tête jusqu'au bout de la queue.

— Zut! fit-elle dans un souffle. La barque est en bois, s'ils la mordent le venin explosif se répandra dans les planches, et elle explosera.

— Je vais essayer de les tenir à distance en leur balançant des coups de rame, dit Sebastian. Fais bien attention à ne pas être mordue. Tu grimperas sur la baleine et je te servirai de garde du corps.

— C'est gentil, murmura Peggy Sue, mais es-tu vraiment sûr de n'avoir rien à craindre du venin?

— Tu sais bien que je suis fait de sable...

La jeune fille hocha la tête sans se sentir pour autant rassurée.

Elle n'avait pas le temps de réfléchir car la masse des baleines endormies grossissait. Elles étaient vraiment énormes. Dans la nuit, elles ressemblaient à des îles désertes dépourvues de végétation. Sebastian manœuvra pour aborder le premier des cétacés assoupis.

« Il ne faut surtout pas le réveiller, pensa Peggy, sinon il risque de nous balancer un coup de queue qui nous aplatira! »

Elle se dressa à l'avant du canot, enjamba la proue pour poser le pied sur une nageoire presque aussi grande que l'aile d'un avion. La chair mouillée se révéla gluante, et la jeune fille faillit perdre l'équilibre. Luttant pour rester debout, elle s'approcha à petits pas du flanc de la baleine.

Soudain, elle entendit siffler derrière elle.

— Les reptilons nous ont repérés! haleta Sebastian. Dépêche-toi, ils viennent dans notre direction. Je ne pourrai pas les repousser très longtemps.

« Les reptilons protègent les baleines, songea Peggy Sue. C'est tout de même étrange. Pourquoi deux espèces aussi différentes s'entraident-elles ? »

Il y avait là quelque chose de bizarre, et elle se promit d'en discuter avec Granny Katy. Pour le moment, il lui fallait encore sortir son canif et découper un morceau de viande dans le flanc du cétacé.

« La peau est si épaisse qu'il ne sentira rien », avait assuré Katy Flanaghan. Peggy Sue espérait que c'était la vérité. Les dents serrées, elle planta la lame du petit couteau dans la chair bleuâtre. La baleine ne tressaillit même pas.

— *Vite !* supplia Sebastian qui, depuis trois minutes, frappait à coups d'aviron sur la tête des reptilons pour les tenir éloignés de la barque.

Peggy Sue glissa le prélèvement dans le tube de verre que lui avait remis sa grand-mère, et battit en retraite. Hélas, au moment où elle s'apprêtait à enjamber la proue du canot, un serpent se jeta en avant, crocs découverts, pour essayer de la mordre au mollet. Sebastian s'interposa ; les dents du reptile s'enfoncèrent dans son bras, y injectant leur venin. Le garçon poussa un cri de rage, et, saisissant la bête entre ses mains, lui cogna la tête sur le bord du canot. Assommé, le serpent disparu au fond des eaux.

— *Il t'a mordu !* cria Peggy.

— Ça n'a pas d'importance, répondit Sebastian, je n'ai rien senti. En revanche il faut se presser, je crois qu'ils ont piqué la coque à plusieurs reprises, le bateau risque d'exploser avant que nous ayons pu regagner la rive.

Tandis que Peggy Sue s'emparait d'un bâton et s'appliquait à repousser les serpents, Sebastian prit les rames et souqua ferme pour s'éloigner de la baleine. Il craignait, en effet, que le tumulte de la bataille ne finisse par réveiller le monstre endormi, ce qui aurait été une catastrophe.

Grâce à la puissance inhumaine de ses bras constitués de sable durci, il parvint à prendre de l'avance sur les reptilons.

— Ça va? s'inquiéta Peggy Sue. Tu n'as pas mal?

Sebastian n'eut pas le temps de lui répondre car la barque se mit brusquement à frissonner comme si elle était vivante.

— Oh! non! gémit la jeune fille. Le bois est en train de devenir mou. Il est chaud... On dirait un animal qui a la fièvre. C'est le venin, il bouillonne déjà dans les fibres des planches.

— Bon sang! jura Sebastian. On n'aura jamais le temps d'atteindre la berge. Enfile ton pull, je crois qu'on va devoir finir la traversée à la nage.

Il ramait aussi vite que possible, mais Peggy sentait la coque se déformer sous ses semelles. C'était comme si elle naviguait sur un bateau en caoutchouc. Des bulles apparaissaient sur le bois. De temps à autre, ces cloques explosaient, laissant échapper un petit nuage de vapeur. L'adolescente constata avec angoisse que la rive était encore bien éloignée. Elle ouvrit son sac à dos, en tira le pull en poil de loup-garou et l'enfila. Aussitôt, une douce chaleur se répandit dans tout son être et le vent glacé qui soufflait sur le lac cessa de la faire claquer des dents.

— C'est fichu! cria Sebastian, il faut abandonner le navire. Regarde les rames : on dirait du chewing-gum!

Il n'exagérait pas : entre ses mains, les avirons se tortillaient comme des spaghetti trop cuits!

— Les reptilons ont dû les mordre quand je m'en servais pour leur taper dessus, observa-t-il. Tu es prête à plonger?

— Oui, fit Peggy. Mais les serpents vont nous rattraper...

— Peut-être, grogna le garçon. Je nagerai derrière toi pour te protéger. Je servirai de leurre, ça n'a pas d'importance s'ils me mordent.

Ils échangèrent un baiser rapide avant de sauter dans le lac. Sans la protection du pull magique, Peggy aurait été changée en statue de glace par la température de l'eau. Heureusement, la laine de loup-garou lui donnait l'impression de nager la brasse dans une piscine délicieusement chauffée. Dans son sillage, Sebastian se débattait pour repousser les serpents. La jeune fille commençait à être véritablement inquiète. Sebastian avait beau être constitué de sable, ne risquait-il pas d'être contaminé par le venin explosif? Après tout, la barque était en bois, et cela ne l'avait pas empêchée de se transformer en pâte à crêpes...

L'explosion du canot sema la confusion parmi

les serpents qui s'éloignèrent. Les adolescents en profitèrent pour nager de plus belle.

Ils atteignirent enfin l'entrée du tunnel. Peggy était à bout de souffle et Sebastian dut l'aider à se hisser sur le quai.

— Comment te sens-tu? lui demanda-t-il en la serrant contre lui. J'avais peur que cette eau gelée ne te change en glaçon.

— Non, ça va, le pull m'a protégée, mais il faut que je l'enlève sinon les poils risquent de s'incruster dans ma peau. Aide-moi.

Sebastian s'exécuta. A cette occasion, la jeune fille remarqua que les gestes de son compagnon étaient hésitants.

— Qu'as-tu? s'enquit-elle. Tu as l'air bizarre.

— C'est vrai, balbutia Sebastian. Je crois que je me suis montré un peu trop présomptueux. Le venin est en train de me travailler de l'intérieur... Je le sens à l'œuvre, il fait bouillonner le sable en moi.

— Oh! gémit Peggy. Je le savais! Que va-t-il t'arriver?

— La même chose qu'à la barque, sans doute. Si j'explose, le sable qui me compose sera éparpillé en tous sens, à des dizaines de mètres à la ronde, et tu ne pourras jamais en rassembler les grains, c'est impossible! *Je suis fichu!*

— Ne dis pas ça! hurla la jeune fille. Viens, ne traînons pas. J'ai une idée. Dans la réserve de la boutique, j'ai aperçu une vieille malle. Je vais t'y enfermer. De cette façon, si tu exploses, le sable restera à l'intérieur et je n'aurai aucun mal à le récupérer.

— C'est une super-idée, bredouilla le garçon, mais je ne sais pas si je tiendrai jusque-là.

Ils s'élancèrent sur le quai pour rejoindre l'échelle de fer qui les ramènerait au niveau du trottoir. Peggy Sue se retournait sans cesse pour vérifier que Sebastian la suivait. Le garçon faisait de terribles efforts pour contrôler les déformations de son corps. Par instants, son visage bouillonnait et de grosses cloques apparaissaient sur son front, ses joues, lui donnant un aspect monstrueux.

Peggy l'aida à grimper les échelons. Martine les attendait près de la bouche d'égout. Quand elle découvrit Sebastian, elle poussa un cri d'horreur et esquissa un mouvement de fuite.

— Aide-nous donc au lieu de jouer les poules mouillées! lui lança Peggy Sue.

Soutenu par les deux filles, Sebastian tituba jusqu'au *Poisson chinois*. Son corps était maintenant brûlant; des filets de vapeur sortaient par ses oreilles et ses narines. On eût dit un gâteau de semoule en train de cuire. Martine roulait des yeux terrifiés.

Le chien bleu apparut au coin de la rue, il était si inquiet qu'il s'était échappé de la boutique pour courir à la rencontre de Peggy. Celle-ci lui cria d'aller prévenir Granny Katy de sortir le vieux coffre de la réserve et de le tenir prêt.

— J'y vais! répondit l'animal.

Sebastian dégageait à présent tant de chaleur que les deux jeunes filles avaient le plus grand mal à le soutenir. Les mains du garçon ressemblaient à de la pâte à pain et, quand il ouvrait la bouche, on entendait quelque chose bouillonner au fond de son ventre.

Peggy Sue luttait pour ne pas fondre en larmes. Enfin, la vitrine du *Poisson chinois* dessina son rectangle illuminé au fond de l'impasse. Le chien bleu jappait comme un jeune chiot tant il était énervé. Granny Katy avait traîné la grosse malle jusque devant la porte.

— Vite! lança Peggy en aidant Sebastian à se recroqueviller au fond du coffre. Ne perds pas courage, nous sommes là... et je t'aime!

Katy rabattit le couvercle et ferma la malle au moyen d'un solide cadenas.

— C'est un vieux bagage, observa-t-elle avec un froncement de sourcils. J'espère qu'il résistera à la puissance de l'explosion.

Comme Peggy et Martine demeuraient plantées de part et d'autre du coffre, elle les saisit par la main et les entraîna dans la réserve.

— Ne restez pas là! ordonna-t-elle. Si la malle explose, ses débris vous transperceront. Allez vous mettre à l'abri. Toi aussi, le chien!

Peggy Sue ne tenait plus en place. Elle aurait voulu se coucher sur le couvercle pour l'empêcher d'être arraché par l'explosion. Granny Katy dut l'entraîner de force dans le cagibi.

Deux secondes plus tard, la malle sauta à vingt centimètres au-dessus du sol tandis que retentissait un bruit étrange.

— On dirait un énorme éternuement! fit le chien bleu.

C'était Sebastian qui venait d'exploser. Par bonheur, le vieux coffre ne se démantibula point, seule un peu de poussière dorée filtra par ses lattes disjointes. Dès que Katy eut ôté le cadenas, Peggy Sue souleva le couvercle. Désagrégé par la déflagration, Sebastian avait repris l'aspect d'un tas de sable.

— Ce n'est pas grave, déclara l'adolescente, il suffira de l'arroser pour qu'il reprenne forme humaine.

— Ouais, grommela le chien, mais s'il avait été, comme toi et moi, constitué de chair humaine, nous serions en train de contempler un beau carnage.

— Cette bête parle d'or, observa Granny Katy, il faudra vraiment se méfier du venin des reptilons. Nous n'avons pas tous la chance de pouvoir nous reconstituer dès qu'on nous arrose d'eau fraîche !

La loi du feu

Peggy Sue s'appliqua à récupérer les grains de sable qui avaient filtré par les interstices du coffre. Chacun d'eux représentait un souvenir de Sebastian. Si elle en perdait trop, le garçon risquait d'oublier des pans entiers de son existence passée. De la poussière et des crottes de souris s'étaient mêlées au sable, elle espéra que ces ingrédients ne troubleraient pas la mémoire de l'adolescent.

« Pourvu qu'il ne se mette pas à se prendre pour un rat, se dit-elle avec inquiétude. J'aurais bonne mine s'il voulait vivre dans un trou en grignotant du fromage ! »

— Il faudra attendre pour reconstituer ton copain, l'avertit Martine, les reptilons sont fous furieux, s'approcher des fontaines serait un suicide.

Peggy soupira et gagna l'arrière-boutique où sa grand-mère avait installé son laboratoire. Le crapaud péteur, dont la vieille dame ne se séparait jamais, la salua d'une flatulence particulièrement sonore. Depuis la veille, Katy Flanaghan analysait le fragment de peau prélevé sur la baleine. Elle semblait plutôt perplexe.

— Qu'y a-t-il? s'enquit Peggy Sue.

— Je ne sais pas trop, murmura la vieille dame. C'est bizarre. On dirait... *On dirait que cette chair n'est pas réelle.*

— Pas réelle? s'étonna le chien bleu, ça veut dire qu'on ne peut pas la manger?

— Non, répondit Granny. Je sais bien qu'il s'agit d'un animal extraterrestre, mais les résultats de l'analyse sont curieux. Si je n'avais pas peur de dire une bêtise, je déclarerais que ces baleines ne sont pas vivantes.

— Pas vivantes? s'exclamèrent en chœur Peggy et le chien bleu.

— Non, confirma Katy. Je pencherais pour des créatures de synthèse, fabriquées à partir d'une sorte de chair artificielle. Un peu comme des robots, mais construits avec de la viande.

— Beurk... éructa le chien.

— C'est étrange, réfléchit Peggy Sue. Il serait peut-être utile d'aller jeter un coup d'œil à ce fameux zoo d'animaux extraterrestres, non? Demandons à Martine de nous emmener là-bas.

*

La grande fille au nez pointu ne se montra guère emballée à l'idée d'une telle excursion.

— C'est super-dangereux! objecta-t-elle. Depuis que le dragon s'est évadé, il s'y passe des choses épouvantables.

— Parce que vous aviez aussi un dragon? s'étonna Peggy.

— Oui, une bête très gentille. Elle imitait à la perfection les voix des touristes. Les gens l'adoraient. Et puis, un jour, elle a attrapé froid. A force de tousser, sa gorge s'est enrouée. C'est à ce moment-là qu'elle a commencé à cracher des flammes.

— Normal, puisqu'elle avait la gorge en feu! ricana le chien bleu.

— Depuis, continua Martine, chaque fois que le dragon tousse, des bouffées d'étincelles lui sortent de la gueule pour incendier les maisons. C'est terrible. Beaucoup de bâtiments brûlent dans cette partie de la ville.

— Ah oui? s'étonna Peggy. Pourtant on n'aperçoit aucune fumée.

Martine grimaça.

— C'est qu'il s'agit d'un feu *très* particulier, un feu diabolique, chuchota-t-elle. Je vous expliquerai ça sur place, si vous persistez à vouloir aller là-bas.

*

A cause de la présence des reptilons, Peggy Sue ne put se rendre à la fontaine chercher l'eau nécessaire à la recomposition de Sebastian. Chaque fois qu'elle se risquait dans cette direction, son seau à la main, les serpents lui barraient le chemin en sifflant.

— On dirait qu'ils ont deviné ce que nous voulons faire, observa le chien bleu. En nous empêchant de ramener Sebastian à la vie, ils nous privent d'un allié de poids.

— Tu as raison, fit la jeune fille. Ils sont décidément beaucoup trop intelligents pour des serpents. As-tu essayé de lire dans leurs pensées?

— Oui, mais il n'y a rien dans leur tête. Ils ont à peu près autant de cervelle qu'un tuyau d'arrosage. C'est contradictoire.

— Granny Katy a sans doute raison : ce ne sont pas de vrais animaux, plutôt des marionnettes dirigées par une force obscure... L'intelligence ne provient pas d'eux mais de celui qui les commande. Si seulement je parvenais à comprendre le sens de tout cela.

— Tu crois qu'ils complotent quelque chose?

— J'en suis certaine.

Une fois de plus, ils rentrèrent à la boutique sans avoir pu remplir le seau. Sebastian dormait toujours au fond du coffre, réduit à l'état de sable sec. Peggy enrageait de devoir se soumettre à la loi des reptilons.

— Il faut en avoir le cœur net, décida-t-elle. Demain, nous explorerons le jardin zoologique.

*

Guidés par Martine, ils prirent tous la direction du zoo. Alors qu'on approchait du mur d'enceinte, Peggy Sue remarqua des lueurs vives dansant au-dessus des toits.

— Tu as vu? demanda-t-elle au chien bleu.

— Oui, fit l'animal, je suppose qu'il s'agit du reflet des flammes. Ça doit brûler dur là-bas, pourtant on ne voit aucune fumée... On a coutume de dire qu'il n'y a pas de fumée sans feu, mais existe-t-il des feux sans fumée?

Une grille tordue apparut au détour du chemin, surmontée de la mention ZOO, en grandes lettres de fer.

— On y est, annonça Martine. C'est là qu'on exhibait les animaux extraterrestres. Jadis, ça attirait beaucoup de monde. Aujourd'hui, c'est désert.

Peggy s'avança sous l'enseigne. Tout était délabré. Les vitres du vivarium géant, où l'on avait parqué les reptilons, avaient volé en éclats.

Des traces profondes creusaient le sol.

— Ce sont les empreintes du dragon, murmura Martine. Un jour, il a brisé son enclos pour se mettre à déambuler à travers la ville, sans qu'on sache pourquoi. Rassurez-vous, il n'est pas dans le coin, on l'entendrait tousser.

Granny Katy prit la parole.

— Pendant que vous explorez les environs je vais fouiller le bureau du directeur, déclara-t-elle. Je voudrais en apprendre un peu plus sur ces prétendus « animaux de l'espace ». Soyez prudentes et retrouvez-moi ici dans une heure.

Sur ce, elle se faufila dans le bâtiment administratif dorénavant à l'abandon.

— En avant pour la visite! lança Martine sans entrain.

Peggy Sue fronça les sourcils. Depuis une minute, il lui semblait que des voix minuscules grésillaient dans son dos. Elle ne comprenait pas ce qu'elles disaient, mais leur bavardage incessant lui rappelait la façon dont parlent les souris dans les dessins animés.

— Ça vient de la boutique à souvenirs, indiqua le chien bleu.

— Oh! Je sais ce que c'est, intervint Martine. Je travaillais là pour me faire de l'argent de poche. Vous pouvez entrer, il n'y a pas réellement de danger.

Poussés par la curiosité, Peggy Sue et le chien franchirent le seuil du magasin. Sur un présentoir, des téléphones portables parlaient tout seuls. Quand l'adolescente voulut les toucher, elle se rendit compte qu'ils étaient mous et chauds.

— On... on dirait de la chair! hoqueta-t-elle.

— C'en est, confirma Martine. Ce sont des téléphones portables vivants. Ils se vendaient comme des petits pains. On n'a pas besoin de les recharger et ils fonctionnent n'importe où. Le soir, on peut les poser sur son oreiller et leur demander de vous raconter une histoire pour vous endormir. Ils connaissent des tas de contes délirants et des millions de blagues. A l'époque où je travaillais ici, j'en vendais cent par jour.

Le chien bleu s'approcha du présentoir et renifla les téléphones.

— Ce sont des animaux d'une autre planète, diagnostiqua-t-il. Une bestiole qui tient de la limace et de l'escargot.

— Tout le monde les trouvait mignons, soupira Martine. Quand on était triste, on les portait à son oreille, et ils vous consolaient. C'étaient de vrais amis.

— Mais ils sont tombés malades, eux aussi, n'est-ce pas? fit Peggy Sue.

— Oui, un jour ils ont commencé à s'appeler entre eux pour bavarder.

— Quoi? hoqueta Peggy. Des téléphones qui se passent des appels tout seuls?

— Oui, on ne pouvait pas les en empêcher. Ils se parlaient pendant des heures, dans une langue incompréhensible. Il n'y avait plus moyen de s'en servir quand on en avait besoin. Ensuite, ils se sont mis à appeler mes amis, *en imitant ma voix*, pour leur raconter des horreurs ou les insulter. En trois jours, à cause d'eux, j'étais brouillée avec tous mes copains!

— Ils étaient devenus méchants... fit Peggy Sue.

— Oui, confirma Martine. Ils n'en faisaient plus qu'à leur tête, et quand on essayait de couper la communication, ils nous mordaient les doigts ou l'oreille!

— Quelles sales petites bêtes! grogna le chien bleu.

Peggy Sue hocha la tête, elle trouvait la chose vraiment étrange. Sur le comptoir, les téléphones continuaient à gazouiller. Roses, bleus, verts, ils étaient adorables. On avait envie de les glisser dans sa poche et de ne plus s'en séparer.

— De quoi parlent-ils? demanda-t-elle.

— Je ne sais pas, avoua Martine. Si tu approches ton oreille de l'écouteur pour espionner leur conversation, ils te mordront... Fais attention!

D'ailleurs les téléphones, mécontents de l'arrivée des jeunes filles, entreprirent de s'éloigner en rampant, comme l'auraient fait de grosses limaces colorées.

« Bizarre ! » songea Peggy.

— J'ai été triste de devoir me séparer du mien, ajouta Martine. C'était devenu un copain, je le posais sur ma table de chevet et je lui racontais tout. Il me donnait son avis, me réconfortait. Quand je me disputais avec mon petit ami, il l'appelait pour arranger les choses... Quand je séchais sur un devoir, pour l'école, il me donnait la solution.

Elle semblait sur le point de pleurer. Peggy Sue décida qu'il était temps de quitter la boutique ; depuis deux minutes, elle se sentait gagnée par l'envie irrésistible de s'emparer de l'un des téléphones et de le porter à son oreille pour appeler quelqu'un... *Qui ?* Elle n'en avait aucune idée !

« Ils dégagent un pouvoir hypnotique, se dit-elle. Ils essayent de convaincre les humains qu'ils ne pourront pas se passer d'eux. »

Elle jugea plus prudent de s'enfuir.

— Drôles de bestioles, grommela le chien. En les regardant, *j'ai eu envie de téléphoner*... C'est la première fois que ça m'arrive, et c'est complètement idiot puisque je suis télépathe ! Qu'ai-je à faire d'un portable ?

Peggy dut saisir Martine par la main pour la forcer à quitter la boutique car la grande fille au nez pointu semblait littéralement ensorcelée par les téléphones vivants.

— Hé! lui cria-t-elle. Secoue-toi! Tu as l'air d'une somnambule. Où allons-nous maintenant?

— Par... par là... bredouilla Martine. Il faut suivre les traces du dragon et entrer dans le monde du feu.

Peggy Sue frissonna en entendant ces mots. Depuis une minute, la température de l'air avait grimpé de plusieurs degrés. Une odeur de brûlé flottait dans le vent. Des lueurs jaunes et rouges dansaient au-dessus des toits, menant une sarabande infernale.

— A partir de maintenant ça va devenir compliqué, souffla Martine. L'incendie qui fait rage de l'autre côté de ce mur n'est pas naturel. Il faudra se montrer super-prudentes.

— Explique-toi! s'impatienta Peggy.

— Ce n'est pas facile, grogna Martine. Le mieux, c'est que je vous montre...

Elle leva la tête, comme si elle cherchait quelque chose dans le ciel. Au bout d'un moment, elle leva le bras, désignant un point doré dansant au gré du vent.

— Là! cria-t-elle. *Une étincelle!* Vite! Il faut la suivre.

Les deux adolescentes se mirent à courir, suivies de près par le chien. Après avoir virevolté, l'étincelle tomba sur le sol où elle continua à scintiller sans donner le moindre signe d'extinction.

— Tu la vois? interrogea Martine. Essaye de l'écraser Vas-y! Pose ton talon dessus, franchement, comme s'il s'agissait d'un mégot.

Peggy obéit. Une chaleur suspecte vint lui rôtir la plante du pied : *sa chaussure était sur le point de prendre feu!* Elle se dépêcha de retirer son pied. Par terre, l'étincelle brillait d'un éclat insoutenable.

« Un copeau de soleil... » songea Peggy Sue.

— Tu peux parier qu'elle a fait fondre le caoutchouc de ta semelle, ricana Martine. Et tu n'as pas tout vu. Regarde ça, à présent...

S'agenouillant, elle tira de sa poche un morceau de papier qu'elle mit en contact avec l'étincelle. Le débris s'enflamma.

« Curieux, songea Peggy Sue. Les flammes ont l'air *lentes*... On dirait qu'elles se tortillent au ralenti. Je n'ai jamais vu ça. »

Martine, la flammèche à la main, s'approcha d'une fontaine pour l'y noyer.

Le papier enflammé tomba au fond de l'eau sans s'éteindre. Peggy écarquilla les yeux. Le feu continuait à onduler sur la vase comme s'il brûlait encore à l'air libre.

— Tu commences à comprendre, maintenant? lança Martine. *Rien ne peut éteindre les feux allumés par le dragon.* L'eau, la neige carbonique sont impuissantes. Les extincteurs ne servent à rien. Je sais de quoi je parle puisque mon père est pompier.

Incapable de résister, Peggy Sue plongea le bras dans le liquide. Du bout des doigts, elle effleura la flamme qui palpitait au milieu des poissons rouges.

— Ouille! gémit-elle.

Elle venait de se brûler.

— Si on la laissait là, elle réchaufferait l'eau et changerait la fontaine en marmite, poursuivit

Martine. Les poissons seraient bientôt cuits au court-bouillon. Pousse-toi, je vais l'enlever.

Peggy Sue s'écarta. Le chien bleu considérait avec méfiance la petite flamme que la fille au nez pointu venait de récupérer.

— A présent que ce bout de papier est enflammé, il ne faut pas espérer l'éteindre, soupira Martine. Comme tu peux le voir, le feu du dragon ne craint rien... *mais il est lent.* Il va lui falloir trois ou quatre heures pour dévorer ce tortillon de papier journal, alors qu'une flamme normale le ferait en deux secondes. Tout à l'heure, tu verras des maisons qui brûlent depuis six mois. Le feu prend son temps. On dirait qu'il les grignote plutôt qu'il ne les dévore. Personne ne sait pourquoi mais c'est comme ça.

Peggy ne parvenait pas à détacher son regard de la flammèche posée à ses pieds.

— C'est un peu comme une allumette qui mettrait trois heures à se consumer, murmura-t-elle.

— Exact, approuva Martine. Puisque tu veux aller te promener au milieu des incendies, tu dois savoir une chose : si une étincelle met le feu à tes vêtements, n'essaye pas de l'éteindre en te roulant par terre ou en t'aspergeant d'eau, ça ne servirait à rien. Débarrasse-toi de tes habits le plus vite possible, c'est la seule chose à faire. Une fois allumé, le feu du dragon ne s'éteint jamais. Mets-toi bien ça dans le crâne. Si une braise tombe dans tes cheveux, il faudra couper la mèche. Te plonger la tête dans une fontaine n'aurait aucun effet. Compris ?

— Oui, fit Peggy Sue. Mais tout cela est vraiment bizarre.

— Tu n'as encore rien vu, soupira tristement la fille au nez pointu. De l'autre côté de ce mur, c'est l'enfer.

— Tu peux rester là si tu as peur, proposa Peggy.

— Non, fit Martine, j'en profiterai pour rendre visite à mon père. C'est le chef des pompiers d'Aqualia. Ce qu'il fait ne sert à rien, mais il s'obstine. Il te racontera sans doute la vieille blague qui court à Aqualia : tu sais pourquoi les voitures de pompiers sont rouges ?

— Non ?

— Parce qu'elles ont honte d'être inutiles.

Peggy hésitait à se risquer dans cette partie de la ville sans le soutien de Sebastian. A tout hasard, elle avait emporté un bidon vide, dans l'espoir de trouver une fontaine d'eau pure au cours de ses déambulations. Son intuition lui soufflait que les reptilons l'avaient repérée et s'intéressaient tout particulièrement à elle.

« Ils ont deviné que je vais leur mettre des bâtons dans les roues, songea-t-elle. Ils vont tenter de m'éliminer. Il faudra que je me montre prudente. »

— Pas question de laisser Sebastian, décida Peggy Sue. Avant de nous lancer dans l'aventure nous irons le chercher. J'installerai le coffre sur des roulettes et je le traînerai derrière moi.

— Je veux bien m'y atteler, proposa le chien bleu. J'ai toujours rêvé d'être un cheval galopant dans la prairie. Un poney... oui, c'est ça, un poney indomptable. Une seule chose m'ennuie : les étalons ne portent pas de cravate.

Alors qu'ils rebroussaient chemin, ils furent rejoints par Granny Katy qui sortait du bâtiment administratif.

— J'ai épluché les registres, déclara-t-elle. Les animaux ont été achetés sur une planète lointaine située tout à gauche, au fond du cosmos. Le problème, c'est que cette planète est déserte depuis des milliers d'années car ses habitants ont péri dans un cataclysme mystérieux. Ce monde n'est qu'un caillou stérile, un désert... Je ne comprends pas comment des baleines, des serpents et un dragon auraient pu y survivre. Ça ne tient pas debout.

— Toi, tu as une idée derrière la tête, fit Peggy. A quoi penses-tu ?

— J'ai une drôle d'impression, grommela la vieille dame. Si je ne craignais pas de passer pour folle, je dirais que ces animaux ont été *fabriqués* pour être vendus... et amenés ici.

— Dans quel but ?

— Je l'ignore, mais je compte bien le découvrir.

Une fois de retour à la boutique, on entassa des provisions dans les sacs à dos et l'on se prépara pour une expédition de longue haleine. Peggy Sue et Martine récupérèrent des roulettes sur une vieille poussette et les vissèrent sous le coffre contenant Sebastian.

— Tu devrais changer de petit ami, dit Martine qui s'escrimait à visser la troisième roue. Sebastian est super-mignon, mais sortir avec lui c'est vraiment trop compliqué.

— L'amour, ce n'est pas seulement s'amuser, répliqua Peggy. C'est aussi partager les épreuves. Si ça t'ennuie d'affronter les difficultés avec un garçon, c'est que tu ne l'aimes pas.

— Bonjour le cours de morale! ricana Martine. Moi, je suis trop jeune pour me prendre la tête.

Les préparatifs achevés, on embarqua dans le camion. Roulant au pas, Katy Flanaghan prit le chemin du zoo ensorcelé.

Le pays des incendies

Le camion traversa le zoo dans toute son étendue pour ressortir par la porte sud. Peggy Sue fut alors saisie par le spectacle étrange qui s'offrait à elle. Dans cette partie de la ville, de nombreuses maisons brûlaient sans dégager la moindre fumée. Les flammes, jaune vif, ondulaient avec une lenteur bizarre, comme si elles dansaient au ralenti. Martine désigna un bâtiment dont le toit était en feu.

— Regarde un peu ça, dit-elle. Tu vois cette maison? Le toit brûle depuis deux mois, mais elle est toujours habitée car ses occupants savent que l'incendie ne s'attaquera pas au 4ᵉ étage avant quinze jours. Ils ne s'affolent pas, ils ont le temps. Tu comprends maintenant ce que je veux dire quand je parle de *feu lent*?

Peggy se pencha à la portière. Effectivement, la maison en question était habitée. Alors même que de grandes flammes dévoraient le toit, les gens menaient une vie tranquille aux étages inférieurs.

— Ils ne se sentent pas menacés dans l'immédiat, expliqua Martine. Ils déménageront lorsque l'incendie commencera à grignoter leur palier.

Peggy Sue ouvrait la bouche pour exprimer son étonnement quand elle avisa une curieuse bâtisse grisâtre se dressant au bord de la route.

— En quoi est-elle faite? lança-t-elle au chien bleu. C'est curieux, on dirait que ses murs frissonnent... comme s'ils respiraient.

— Ce n'est pas de la pierre ni du ciment, confirma l'animal. Nom d'une saucisse atomique! ça paraît mou.

— C'est une maison de fumée, annonça Martine d'une voix lugubre. Voilà pourquoi vous n'avez jamais vu de nuages noirs s'élever au-dessus des toits. Quand le feu a dévoré en totalité un bâtiment, il laisse derrière lui une sorte de sculpture représentant ce même bâtiment. Une sculpture de fumée...

— Incroyable! souffla Granny Katy, il faut que je voie ça de plus près.

— Attention, gémit Martine, c'est dangereux, ne vous en approchez pas.

La vieille dame arrêta le camion, et ils descendirent tous sur le trottoir pour contempler l'étrange maison grise qui tremblotait dans le vent.

— C'est comme un souvenir de ce qui se dressait là auparavant, commenta Martine. La fumée ne s'éparpille jamais, elle reste à la place du bâtiment réduit en cendres.

Cédant à la curiosité, Peggy fit un pas en avant. Martine la saisit par le poignet.

— Non! haleta-t-elle. Il ne faut surtout pas y entrer... Les maisons de fumée sont des lieux maléfiques. Si l'on commet l'erreur d'y dormir, on devient bizarre.

— Bizarre comment?

— Tu verras ça. Il y a des gens qui n'hésitent pas à le faire, mais je ne te conseille pas de les imiter si tu veux rester humaine.

Peggy leva les yeux. La maison de fumée ressemblait à s'y méprendre à une vraie maison. Aucun détail n'avait été oublié, ni les gouttières, ni les pots de fleurs sur les balcons. Au troisième étage, elle vit même un chat, assoupi sur le rebord d'une fenêtre. *Un chat de fumée.*

— C'est une sorte de fantôme, chuchota Martine avec dégoût. Il a brûlé avec la maison. Depuis, il vit là. Parfois il se lève, on le voit se promener le long de la corniche.

Peggy Sue scrutait l'entrée de l'immeuble. Une force étrange la poussait à visiter les lieux. Elle se demanda s'il serait possible de grimper les escaliers. Elle posa la question à Martine.

— Certains le prétendent, répondit la grande fille au nez pointu. Moi je n'y mettrais le pied pour rien au monde. Quelque chose de mauvais se cache dans les maisons de fumée.

Mais déjà, Peggy n'écoutait plus. Elle avait franchi le seuil de la demeure fantôme et hésitait au pied de l'escalier. Le chien bleu l'y rejoignit.

— Qu'est-ce qu'on fiche ici? demanda-t-il en flairant l'odeur de suie imprégnant l'air.

— Je ne sais pas, avoua Peggy. Je n'ai pas pu m'empêcher d'entrer. C'est drôle, non ? On dirait que tout ce qui nous entoure a été recouvert de velours gris. C'est à la fois très joli et complètement effrayant.

— Oh, oh ! fit le chien, jette un coup d'œil au sommet de l'escalier, le chat fantôme est venu nous dire bonjour.

Peggy tressaillit. Le matou de fumée descendait les marches avec une grâce étrange. Quand il bougeait, certaines parties de son corps se brouillaient, ou s'effaçaient momentanément : ses oreilles, le bout de sa queue... Il ouvrit la gueule et feula de colère. Même ses crocs étaient gris.

— Ça me flanque la chair de poule, gémit le chien bleu. Je crois qu'on ferait mieux de s'en aller avant que les gens qui habitaient ici ne viennent nous inviter à déjeuner.

Peggy Sue frissonna. Son compagnon à quatre pattes avait raison. Si de malheureux locataires avaient péri dans l'incendie, ils risquaient fort d'avoir le même aspect que le chat de fumée.

Elle battit en retraite.

— Tu es folle d'avoir fait ça ! lui cria Martine sitôt qu'elle fut dehors. On ne sait pas grand-chose sur les maisons de fumée. Il faut s'en tenir éloigné le plus possible. *Et surtout ne jamais s'y endormir.*

Elle semblait à bout de nerfs. Granny Katy donna le signal du départ, et tout le monde se dépêcha de remonter dans le camion.

— Comment était-ce, à l'intérieur ? demanda-t-elle à sa petite-fille.

— Bizarre, souffla Peggy. Joli et... terrifiant. On avait envie de caresser les murs. Tout ce velours gris qui frissonnait comme le dos d'un chat... C'était beau.

— Ce n'est pas du velours, pauvre idiote! tempêta Martine, c'était de la fumée... de la fumée sculptée. Tout ce que tu as vu a été totalement dévoré par l'incendie. La fumée imite ce que le feu réduit en cendres. Personne ne sait pourquoi.

Peggy Sue hocha la tête. Elle se rappelait soudain d'avoir entr'aperçu un petit guéridon dans un coin du hall. Un vase y trônait. Un vase rempli de fleurs grises. *Des fleurs de fumée...*

— Si le feu est lent, observa-t-elle en relevant la tête, pourquoi certaines personnes, ou certains animaux, se laissent-ils brûler? Ils auraient pu s'enfuir, non?

Martine haussa les épaules.

— Le feu est lent quand il s'agit de manger les maisons, répondit-elle, mais il n'a pas la même patience en ce qui concerne les êtres humains. Je ne sais pas pourquoi. Même mon père, qui est capitaine des pompiers, n'a jamais pu me fournir la moindre explication.

« Et pourtant je suis certaine qu'il y en a une », pensa Peggy Sue.

Ils roulèrent en silence pendant un moment. De part et d'autre de la chaussée se dressaient des maisons grises. Si certaines étaient un peu floues, d'autres, au contraire, réussissaient presque à faire croire que leurs murs étaient en ciment.

— Celles dont les contours se brouillent sont les plus anciennes, expliqua Martine, elles sont en train de s'effacer. La fumée ne parvient plus à maintenir sa cohérence, elle se dilue. Il faut faire attention lorsque la nuit tombe. On peut facilement prendre un bâtiment fantôme pour une vraie maison.

Peggy Sue remarqua que des gens s'étaient postés au bord des trottoirs pour les regarder passer. Elle leur trouva une drôle de figure. Ils avaient la peau grisâtre et souriaient d'un air ironique, comme s'ils se moquaient des visiteuses.

— Fais comme si tu ne les voyais pas, supplia Martine d'un ton apeuré. Et surtout, ne leur adresse jamais la parole.

— Pourquoi?

— *Ils ne sont pas comme nous...* Ils ont tous commis l'erreur d'entrer dans une maison de fumée, et de s'y endormir. Au matin, quand ils en sont ressortis, ils avaient cette allure. Avec une peau qui ressemble à celle des pommes de terre. Quand ils parlent, la fumée leur sort de la bouche, et quand ils se mouchent, ils remplissent leur mouchoir de cendre. Les maisons les ont transformés. On ne sait pas exactement en quoi, mais il ne faut pas les fréquenter.

Comme Granny Katy hésitait sur la route à suivre, Martine lui indiqua le chemin de la caserne des pompiers.

— C'est là qu'habite mon père, dit-elle. Il vous expliquera ça mieux que moi.

Deux minutes plus tard, Katy Flanaghan arrêta le camion devant un bâtiment peint en rouge vif.

Un homme de haute taille, au crâne rasé, s'affairait sur une autopompe. Quand il aperçut Martine, il parut fâché.

— Tu sais bien que je n'aime pas te voir traîner dans ce quartier, dit-il en la serrant dans ses bras. C'est trop dangereux. Qui sont ces personnes?

— Je vous présente Thomas Langley, mon père, annonça Martine. Le dernier pompier d'Aqualia.

L'homme s'efforça de sourire, mais Peggy Sue sentit qu'il n'appréciait guère cette visite imprévue. D'ailleurs, dans la minute qui suivit, il déploya une grande énergie pour convaincre Granny Katy de partir au plus vite.

— Cette zone est devenue incontrôlable, expliqua-t-il d'une voix rauque. Il s'y passe des choses de plus en plus bizarres. La plupart de mes hommes ont péri dans les incendies. Ils se sont transformés en fantômes de fumée. Les autres ont pris la fuite. Ma fille a raison, je suis le dernier à essayer de combattre le feu du dragon.

— C'est aussi notre intention, décréta Granny Katy. Nous pourrions unir nos efforts, vous ne croyez pas?

Le capitaine Langley capitula.

— Rentrons dans la caserne, décida-t-il. La nuit va bientôt tomber, c'est l'heure où les fantômes des gens morts dans les incendies se mettent à errer dans les rues.

— Ils sont dangereux? s'enquit Peggy Sue.

— Je ne crois pas, grommela le père de Martine, mais ils s'obstinent à venir épier les vivants pour singer leurs gestes. C'est agaçant.

Katy Flanaghan gara le camion entre les auto-pompes. Aussitôt, Thomas Langley s'empressa de descendre la porte du garage et de verrouiller l'entrée de la caserne. Le bâtiment sentait le cuir et le caoutchouc. Des casques brillants s'alignaient sur une étagère.

— L'eau ne sert à rien contre le feu, expliqua le capitaine. Même chose pour la mousse carbonique des extincteurs. J'essaye de nouveaux mélanges, des produits de mon invention, mais ça ne fonctionne jamais.

— Là, je pourrai sans doute vous aider, proposa Granny Katy, mon métier consiste à mélanger des mixtures.

— Vous êtes chimiste ?

— On peut appeler ça comme ça.

Martine conduisit Peggy Sue au premier étage pour lui montrer son ancienne chambre.

— C'est là que je vivais quand j'étais petite, dit-elle en désignant une pièce encombrée de jouets en peluche poussiéreux. Une bibliothèque contenait les aventures du docteur Squelette dont Peggy Sue était fan, elle aussi.

— Ma mère est partie quand j'avais douze ans, ajouta-t-elle. Elle ne supportait pas de vivre à Aqualia. Elle s'y ennuyait trop.

Peggy Sue s'approcha de la fenêtre. Le soleil se

couchait mais les incendies étaient si nombreux qu'on y voyait comme en plein jour.

Des « gens gris » s'étaient rassemblés sur le trottoir voisin. Ils bavardaient entre eux. De temps en temps, ils levaient la tête pour regarder dans la direction de la caserne. Ils souriaient. *De toutes leurs dents.*

« On dirait des squelettes qui se bidonnent », songea Peggy, mal à l'aise.

— Qu'est-ce qu'ils fichent là ? demanda-t-elle.

Martine jeta un coup d'œil par-dessus son épaule.

— Ils vous ont repérées, toi et ta grand-mère, dit-elle. Ils aiment bien les étrangers parce qu'ils tombent plus facilement dans les pièges qu'on leur tend. Méfie-toi, ils vont essayer de t'attirer dans les maisons fantômes pour t'y faire dormir, et lorsque tu te réveilleras, le lendemain, tu seras comme eux.

— Justement, s'impatienta Peggy Sue, comment sont-ils ?

Martine se détourna, effrayée.

— Ils... ils ont des pouvoirs, bredouilla-t-elle. Ils ne craignent plus le feu. *Ce sont des sorciers.*

*

Le capitaine convia tout le monde à partager son repas dans l'ancien réfectoire des pompiers. Il avait cuit une pleine marmite de nouilles à la tomate. Il s'en excusa, mais ses provisions s'épuisaient, il n'avait rien de mieux à proposer.

— C'est pas terrible, grogna le chien bleu, mais tant pis, je les mangerai en m'imaginant que je dévore des reptilons!

— Capitaine! lança Peggy Sue qui en avait assez des réponses approximatives de Martine, pouvez-vous nous expliquer qui sont les gens gris?

— Ma petite-fille a raison, insista Granny Katy, si nous devons poursuivre notre enquête, nous avons besoin de tout savoir des pièges qui nous entourent.

Le pompier fronça les sourcils et ébaucha un geste d'impuissance.

— C'est difficile, soupira-t-il. Certains estiment que ce sont des démons, mais en réalité ils ne font rien de répréhensible. C'étaient des gens normaux jusqu'au jour où ils ont passé la nuit dans une maison de fumée. Là, à la faveur d'une mystérieuse transformation, ils se sont vu attribuer des pouvoirs étranges.

— Lesquels? demanda Peggy.

— Ils... ils peuvent traverser les flammes sans se brûler, fit le capitaine en baissant les yeux. On dirait que le feu est devenu leur ami, qu'il les épargne.

— C'est tout?

— Oui, mais dans ce quartier, beaucoup de gens ont peur des incendies. J'en connais qui envient les gens gris. Ils se disent que s'ils devenaient comme eux, ils n'auraient plus à craindre le feu. C'est une idée qui se répand.

— Ils préfèrent devenir des démons plutôt que de courir le risque de brûler vifs! cria Martine.

Son père lui fit signe de se calmer.

— Je ne sais pas si le terme « démon » convient, déclara-t-il. Je n'ai jamais pu avoir la preuve qu'ils complotaient contre nous.

— Si le feu est lent, observa Peggy Sue, comment peut-on brûler vif ?

— Oh ! il suffit de se retrouver bloqué dans une pièce ou encerclé par les flammes... Cela se produit le plus fréquemment pendant qu'on est endormi. La chaleur vous réveille, mais il est trop tard. Le feu a mis trois heures pour vous entourer, mais maintenant il n'y a plus rien à faire. Les flammes dégagent une chaleur atroce. Il suffit de les effleurer pour prendre feu. Une fois qu'elles se sont accrochées à votre peau, rien ne peut plus les éteindre. Imaginez que vos doigts prennent feu. Vous auriez beau les tremper dans l'eau, ils continueraient de brûler. Pour vous débarrasser du feu qui les ronge, *il faudrait vous couper la main...* Bien peu de gens ont ce courage.

— Glub ! bredouilla Peggy Sue en avalant ses nouilles de travers.

— Le feu du dragon est capable de brûler n'importe quoi, continua le pompier. La pierre, le métal, rien ne lui fait peur. Une fois qu'il s'est accroché à quelque chose, il ne lâche plus prise. Pour se débarrasser de lui, il faut trancher. Voilà pourquoi je garde toujours une hache près de moi.

Tout cela n'était guère rassurant, et Peggy Sue en avait les cheveux qui se dressaient sur la tête. Soudain, alors qu'il allait ajouter quelque chose, le capitaine Langley se figea.

— Ne vous retournez pas, souffla-t-il. Un fantôme de fumée est en train de se glisser sous la porte, c'est l'un de mes anciens pompiers. Il revient ici par habitude.

Peggy risqua un coup d'œil dans la direction indiquée par le père de Martine. Elle vit une sorte de brouillard grisâtre stagnant au ras du sol. Il en montait une affreuse odeur de brûlé.

— Ne craignez rien, murmura Thomas Langley. Il n'est pas méchant, mais depuis qu'il est mort il recherche désespérément la compagnie des humains. Si vous l'ignorez, il s'en ira.

— C'est le fantôme d'un pompier mort dans un incendie ? s'enquit Peggy Sue.

— Oui, confirma le capitaine. Il est triste... et un peu collant. Si vous lui accordez le moindre intérêt, il vous suivra partout et imitera tous vos gestes. Vous ne pourrez plus vous en débarrasser et vous finirez par empester la cendre jusqu'à la fin de vos jours.

Peggy Sue se concentra sur son assiette. Elle sentait une présence bouger dans son dos. La créature tournait autour des convives, cherchant à accrocher l'attention.

— Lui et ses semblables sont composés de fumée magique, marmonna Thomas Langley. Impossible de les dissoudre en faisant des courants d'air. S'ils ont le malheur de s'attacher à vous, vous les retrouvez, la nuit, assis au pied de votre lit. C'est assez désagréable de se réveiller pour découvrir qu'un spectre vous regarde fixement.

« Peut-être veulent-ils de nous dire quelque chose ? songea Peggy. Il faudrait pouvoir entrer en contact avec eux. »

— J'ai essayé, fit le chien bleu. Mais il n'y a rien dans sa tête. Ce n'est qu'un pantin de suie qui agit mécaniquement.

— A la différence des gens gris, ils sont inoffensifs, déclara Martine. Il suffit de ne pas les regarder.

*

Le repas terminé, Martine guida Granny Katy et Peggy Sue à travers la caserne pour leur montrer les chambres qu'elles pourraient occuper. Peggy ne se sentait pas très à l'aise dans ce bâtiment à l'abandon. Le spectre du pompier les suivit pendant toute la visite, puis, voyant qu'on ne lui prêtait aucune attention, disparut par un trou de serrure à la recherche d'un autre public.

Les compagnons du feu

Peggy Sue dormait depuis deux heures quand une petite voix se mit à grésiller à son oreille. D'abord, l'adolescente ne comprit pas ce que lui chuchotait son interlocuteur, puis elle rêva qu'une bête minuscule lui racontait une interminable histoire dont elle ne parvenait à saisir qu'un mot sur trois.

— *Sortir...* disait la voix minuscule. *Par la fenêtre... dehors... Maison de fumée... Ils t'attendent... rendez-vous...*

La jeune fille s'agita sur son lit, essayant d'échapper au murmure qui lui grignotait la tête. Ce n'était pas facile. Exaspérée, elle s'éveilla. Elle aperçut quelque chose sur l'oreiller, tout près de sa joue. Elle s'assit d'un bond, alluma la lampe de chevet. *C'était un téléphone portable vivant...* L'un de ces appareils bavards qu'elle avait vus au zoo. Il se tortillait comme une grosse chenille sympathique.

« Comment a-t-il fait pour me suivre jusqu'ici ? se demanda Peggy. Quelle bizarre petite chose ! »

Du bout des doigts, elle effleura le téléphone. Il frissonna et se mit à ramper à la façon des limaces. Il parlait toujours, d'une voix nasillarde, à peine perceptible, mais qui s'insinuait dans la tête de Peggy tel un tire-bouchon dans une motte de beurre.

« Il me semble que je l'entendrais même si je me bouchais les oreilles, se dit-elle. C'est comme si un spaghetti hérissé de piquants me rampait dans la cervelle! »

Elle se leva. Le téléphone s'était introduit dans la chambre par l'entrebâillement de la fenêtre. Dans quel but?

Elle fut tentée de réveiller le chien bleu qui dormait sur le tapis mais ne put s'y résoudre.

Non, non... il ne fallait surtout pas le mettre au courant. Il ne devait rien savoir de ce qui allait se passer. Ni lui, ni Granny Katy... Cela devait rester un secret. Un secret entre elle et...

Et qui, au juste?

Sans vraiment comprendre la raison de son geste, elle saisit le portable et l'appliqua contre sa tempe.

— Oui? chuchota-t-elle.

— Ouvre la fenêtre et descend dans la rue par le tuyau d'évacuation de la gouttière, fit la voix nasillarde.

— D'accord, répondit l'adolescente.

Elle s'étonna d'obéir aussi facilement à cet interlocuteur inconnu, mais elle se sentait incapable de résister. Après avoir glissé le téléphone dans la poche de son pyjama, elle enjamba le rebord de la fenêtre et s'accrocha à la canalisation serpentant le long de la façade. Comme elle était assez forte en gymnastique, ce ne fut pas difficile. Trois minutes plus tard, ses pieds nus touchaient le trottoir. Il faisait chaud dehors car les incendies qui brûlaient nuit et jour installaient une température caniculaire dans toute la ville.

— Et maintenant? s'enquit-elle en reprenant le portable.

— Marche droit devant toi, grésilla l'appareil. Je te guiderai.

Peggy s'exécuta. Elle n'en revenait pas de se montrer aussi docile et de n'éprouver aucune inquiétude. Les choses se passaient comme si elle ne contrôlait plus ses membres. C'était vraiment curieux! Elle ne se reconnaissait plus.

« Serais-je hypnotisée? se demanda-t-elle. Cet affreux petit téléphone aurait-il le pouvoir de m'imposer sa volonté? »

Le portable s'était mis à transpirer dans sa paume et c'était si dégoûtant qu'elle aurait bien aimé le jeter dans une poubelle, hélas elle en était incapable.

« Quel répugnant petit démon! songea-t-elle. Est-ce que d'autres gens ont subi le même sort? »

— Tourne à gauche, commanda le téléphone vivant. Tu vois cette maison de fumée? *Tu vas y entrer.*

Peggy Sue aurait voulu crier « Non! Il n'en est pas question! Je sais que c'est un piège! » toutefois son corps ne lui obéissait plus. Elle était forcée de faire ce qu'on lui ordonnait.

Elle prit soudain conscience qu'elle n'était plus seule. Plantés au bord des trottoirs, des gens l'observaient en souriant. *Des gens gris.* Parmi eux se tenait un adolescent dont les cheveux bouclés brillaient tel de l'argent massif. Il adressa un clin d'œil à Peggy. Bien qu'il semblât animé des meilleures intentions, la jeune fille lui trouva un air louche. Elle n'aurait su dire pourquoi, mais il lui faisait peur. Il tenait un chat dans ses bras... *Un chat de flammes qu'il caressait sans se brûler.*

« Ou je suis en train de rêver ou ces gens possèdent des pouvoirs étranges », se dit-elle.

Le garçon fit un geste pour l'encourager à pénétrer dans la maison fantôme. Il chuchota quelque chose, et Peggy put lire sur ses lèvres les mots :

« N'aie pas peur. »

Le portable gigotait dans sa main, s'impatientant. Il parlait à présent d'une voix de lutin furibond.

— Qu'attends-tu pour entrer? criait-il.

Même si Peggy Sue avait essayé de tourner les talons, elle n'y serait point parvenue. Ses jambes marchaient toutes seules, sans lui demander son avis.

Elle franchit le seuil de la demeure.

Dans le salon, elle trouva des fauteuils et un canapé modelés dans une fumée d'un gris sombre. Lorsqu'elle voulut les toucher, ses doigts passèrent au travers. Tous les objets carbonisés par l'incendie se trouvaient là, sous une forme fantomatique composée de suie flottant dans l'air. Les livres, les bouteilles du bar, la cheminée... et même le chien couché devant l'âtre.

C'était *très* impressionnant. Le feu avait tout dévoré, ne laissant aucune ruine, rien que ce souvenir du passé modelé dans la fumée du brasier.

« Qu'est-ce que je fiche ici ? se demanda Peggy. Je suis folle de prendre autant de risques. Si je m'endors, je deviendrai comme les gens gris. »

La voix de la raison lui criait de s'enfuir à toutes jambes, mais celle du téléphone lui ordonnait de rester.

« Bon sang ! se dit-elle, je comprends tout. Voilà à quoi servent les téléphones portables : *ils hypnotisent les gens pour les pousser à entrer dans les maisons maudites !* »

Elle ébaucha un mouvement pour quitter la pièce, hélas, ses talons semblaient collés au sol. Elle se fit l'effet d'une statue prisonnière de son socle.

En face d'elle, le mur se mit à bouillir. De grosses bulles de fumée se déformaient, comme si la suie essayait de modeler quelque chose. Un visage se dessina, qui n'avait rien d'humain.

Était-ce celui d'un démon ou d'un extraterrestre ? Peggy n'aurait su en décider.

La créature se détacha de la cloison. C'était un personnage extravagant, au crâne ovoïde nanti de trois yeux et d'une bouche minuscule en forme de trou de serrure. Il avait une petite main à la place du nombril et s'en servait pour se gratter le ventre.

Il se planta au milieu du salon et fixa Peggy Sue dans les yeux.

« Il n'existe pas vraiment, s'empressa de penser celle-ci, ce n'est qu'une forme modelée par la fumée. Une espèce d'hologramme. »

L'extraterrestre avait beau présenter un aspect cocasse, il n'en demeurait pas moins inquiétant car ses yeux étaient ceux d'un reptile.

A cette seconde, le téléphone sonna dans la paume de Peggy. Elle le porta à son oreille.

— Pourquoi veux-tu nous mettre des bâtons dans les roues ? dit une voix qu'elle ne connaissait pas encore.

« C'est la créature qui me parle ! comprit-elle. Elle communique avec moi par l'entremise du portable ! »

— Qui êtes-vous ? lança-t-elle en essayant de paraître sûre d'elle.

— Ça n'a pas d'importance, répondit la chose. Je sais que tu es intelligente et courageuse, mais cette fois tu t'attaques à beaucoup plus fort que toi. Si tu t'obstines, tu brûleras vive. Quand c'est nécessaire, nous savons accélérer le feu du dragon. Nous pouvons lui commander de dévorer une maison de six étages en quatre secondes... *ou une adolescente de 14 ans le temps d'un claquement de doigts.* C'est ce que tu veux ? Tu ferais mieux de rejoindre les rangs de ceux qui nous servent.

— Vous voulez parler des gens gris ?

— Oui. Ils ne regrettent pas d'être devenus nos serviteurs. Nous leur avons accordé plus de super-pouvoirs qu'ils n'auraient osé en rêver. Tu peux devenir comme eux, si tu le désires, il te suffit de t'allonger sur le sol et de dormir une nuit, une seule, dans cette maison.

— Non! protesta Peggy Sue. Pas question!

— Ne refuse pas sans savoir, fit le téléphone en se tortillant. *Tu pourrais devenir indestructible...* Ne plus jamais craindre la morsure des flammes. Tu devrais faire un essai. Je crois que tu serais conquise.

La créature leva la main. Dans sa paume reposait un comprimé brunâtre.

— Avale-le, ordonna-t-elle. Il te donnera pendant soixante minutes le pouvoir de te déplacer impunément au cœur du feu. Quelqu'un t'attend à l'extérieur, il te servira de guide et te fera connaître les grands avantages qu'il y a à devenir l'ami des flammes. Quand tu reviendras ici, tu n'auras qu'à t'étendre par terre et à fermer les yeux. Le sommeil viendra tout seul, alors nous ferons de toi une fille grise.

— Non... bredouilla Peggy, mais, au même moment, ses doigts saisirent la pastille brune et la portèrent à sa bouche.

« Non! Non! » hurla-t-elle mentalement tandis que sa gorge avalait l'horrible pilule.

Le comprimé avait le goût affreux du foie de veau cru (ou de la cervelle de chimpanzé tartinée sur du pain rassis). Le chien bleu aurait sûrement aimé ça, mais Peggy Sue trouva la chose abominable.

— C'est bien, dit l'extraterrestre, à présent sors. Quelqu'un t'attend pour te faire connaître l'ivresse des compagnons du feu.

Le téléphone se tut. Peggy le laissa tomber et quitta la pièce. Ses pieds bougèrent sans se soucier de ce qu'elle pensait. Elle se retrouva dehors, sur le seuil de la maison de fumée. Le garçon aux cheveux bouclés l'attendait, son chat de flammes dans les bras.

— Salut, dit-il, je m'appelle Nicki. Je suis ton guide pour l'heure qui vient.

Soulevant le matou de feu, il le présenta à Peggy.

— Tu peux le caresser, fit-il. Il s'appelle Escarbille. Le comprimé que tu as avalé te protège. Pendant une heure tu seras comme moi.

Peggy Sue hésita. Le chat de flammes était d'une grande beauté, mais elle avait peur de se brûler en le touchant.

— Caresse-le ! répéta Nicki d'un ton plus sec.

L'adolescente tendit la main. Sa paume frôla le dos du petit félin. Au contact du feu, elle éprouva une curieuse sensation de bien-être. Elle n'avait pas mal. Pas du tout.

— Tu commences à comprendre, hein ? ricana Nicki.

Peggy examina le garçon. Il était beau, mais sa peau couleur de cendre et ses cheveux métalliques lui donnaient un aspect diabolique assez déplaisant.

— Viens, ordonna-t-il. Nous n'avons qu'une heure. Passé ce délai, le comprimé ne te protégera plus, et tu t'enflammeras comme une allumette, ce serait regrettable.

Peggy Sue avait de plus en plus l'impression de vivre un cauchemar. A présent, le chat avait sauté à terre et se frottait à ses jambes en ronronnant. « On dirait que je suis en train de marcher au milieu d'un feu de camp ! » pensa-t-elle. D'une voix tremblante, elle dit :

— Cette bête n'existe pas...

— Si, répliqua Nicki, puisque c'est moi qui l'ai fabriquée.

— Tu l'as... *fabriquée* ?

— Oui, j'ai cueilli quelques flammes, je les ai roulées en boule pour les modeler, comme de la glaise. Je leur ai donné la forme d'un chat... Et voilà.

— Tu peux faire ça ?

— Tu le pourras aussi quand tu auras dormi dans la maison de fumée. La créature qui vit là profitera de ton sommeil pour t'asperger avec un élixir magique. A ton réveil, ta peau sera devenue grise, tes cheveux argentés, tes habits couleur de cendre, et tu ne craindras plus les incendies.

L'étrange garçon saisit Peggy Sue par la main et l'entraîna au cœur de la ville, là où le feu faisait rage. Des dizaines de maisons brûlaient en ronflant. Des essaims d'étincelles vibraient dans l'air, telles des guêpes d'or.

— La créature que j'ai vue dans la maison fantôme, dit l'adolescente, d'où vient-elle ?

— Je ne sais pas, fit Nicki avec un haussement d'épaules. Elle n'est pas réelle, c'est un spectre. Elle est morte il y a très longtemps. Elle est là pour nous donner des ordres. Elle commande aux reptilons, aux baleines, aux téléphones, au dragon. Il ne faut pas chercher à comprendre.

Pendant qu'il parlait, Peggy Sue remarqua que des dizaines d'hommes gris travaillaient au milieu des incendies. Elle ne comprit pas ce qu'ils faisaient là. Leur agitation semblait n'avoir aucun sens.

« Ils transportent des objets, songea-t-elle. Des trucs qu'ils jettent dans les flammes. Bizarre. »

Certains avaient une hotte sur le dos et se déplaçaient courbés sous le poids de la charge. On eût dit des vendangeurs. Ils marchaient au milieu du feu sans paraître aucunement incommodés.

— Pourquoi leurs vêtements ne brûlent-ils pas ? s'enquit-elle.

— Parce qu'ils sont imprégnés du liquide magique dont je t'ai parlé tout à l'heure, répondit Nicki. Ne crains rien, tout a été prévu, tu ne te retrouveras pas toute nue quand tu visiteras les incendies. La pastille que tu as avalée protège également tes habits. Assez parlé maintenant, viens danser dans les flammes.

Et, saisissant la jeune fille par la taille, il la poussa à l'intérieur d'un immeuble incendié.

Peggy Sue hurla de terreur, persuadée qu'elle allait être brûlée vive, et se débattit. Au bout d'une dizaine de secondes, toutefois, elle prit conscience qu'elle ne souffrait pas du tout. Les flammes s'introduisaient dans les manches de son pyjama. Elles léchaient sa peau, diffusant dans son corps une douce énergie. Elle se sentit bientôt incroyablement légère, gonflée d'une puissance qu'elle n'avait jamais éprouvée.

— Danse ! criait Nicki. Danse !

Les deux adolescents se mirent à virevolter dans le feu. Chaque tourbillon les rendait plus forts.

— Agite les bras, comme un oiseau! lança le garçon, tu vas t'envoler... Le brasier te portera! Vas-y! Vas-y!

La jeune fille fit ce qu'on lui disait. Elle eut la surprise de sentir ses pieds quitter le sol. Plus elle battait des bras, plus elle s'élevait, soutenue par les flammes. C'était comme de nager dans un océan d'or tiède. Une joie fantastique s'empara d'elle, à tel point qu'elle crut son cœur près d'exploser.

C'était si fabuleux qu'elle aurait pu faire ça pendant des heures et des heures, des années peut-être!

« Mais je ne dispose que de soixante minutes, se rappela-t-elle. Qu'est-ce que je raconte? Le compte à rebours a commencé dès que je suis sortie de la maison fantôme. Combien me reste-t-il? Quarante-cinq minutes? *Encore moins?* »

Toute à l'excitation du feu, elle avait perdu la notion du temps. La peur la dégrisa, et elle cessa d'agiter les bras pour redescendre au niveau du sol.

— Nicki, cria-t-elle. Où en est le compte à rebours?

Le garçon ricana méchamment sans daigner lui répondre. Il semblait avoir décidé de s'amuser à ses dépens.

— Dis-moi! gémit-elle.

Sourd à sa supplique, Nicki virevoltait au-dessus d'elle, brassant le feu pour grimper au sommet de l'incendie.

Peggy Sue chercha à s'orienter. Les flammes lui faisaient l'effet d'une forêt jaune dans laquelle elle se serait perdue. Elle s'y trouvait bien. Un incroyable bonheur coulait dans ses veines. Le feu allait la rendre immortelle. Elle ne vieillirait jamais, ne serait jamais malade...

— Alors? lança Nicki en se rapprochant d'elle. Tu commences à entrevoir les avantages qu'il y a à devenir un serviteur de la créature?

— Je voudrais sortir! s'entêta l'adolescente. J'ai peur de m'enflammer.

— Mais non, fit le garçon. Tu as encore le temps. Viens, nous allons fabriquer un cheval de feu et nous galoperons sur son dos à travers la ville.

— Je veux rentrer chez moi... insista Peggy.

Nicki ne l'écouta pas. Arrachant de grandes brassées de flammes au ventre de l'incendie, il se mit à modeler un pur-sang à la crinière embrasée. Le cheval jaune piaffait en crachant des étincelles.

— Monte derrière moi! cria Nicki en sautant sur le dos de sa monture. Tu vas voir, ce sera amusant. Nous traverserons la cité en effrayant tout le monde. Et le cheval mettra le feu aux maisons encore intactes.

— C'est criminel! protesta Peggy Sue. Ça t'amuse d'incendier la ville?

— Bien sûr! s'étonna le jeune homme. Nous sommes les maîtres du brasier. C'est ce que la créature attend de nous. Notre mission consiste à brûler le plus grand nombre de maisons.

— Tu es mauvais! siffla l'adolescente en s'écartant du cheval démoniaque, laisse-moi, je ne veux rien avoir à faire avec toi.

Elle se mit à courir mais Nicki, grimpé sur son pur-sang de feu, n'eut aucune difficulté à la rattraper. Il fit se cabrer sa monture pour barrer le chemin à la fuyarde.

— Si tu n'es pas avec nous tu es contre nous, décréta-t-il. Et je ne te laisserai pas sortir de l'incendie. De cette façon, d'ici douze minutes, tu brûleras comme une sorcière ficelée sur un bûcher. Réfléchis bien... l'effet du comprimé magique va se dissiper dans moins d'un quart d'heure.

Peggy essaya de courir en zigzag pour échapper à son tourmenteur, hélas, le cheval la poursuivait sans relâche, ne lui laissant aucune chance de sortir de l'incendie. Chaque fois qu'elle était sur le point de bondir hors de la maison, la bête lui coupait la route et la rejetait dans les flammes, d'un coup de tête.

— Plus que cinq minutes! annonça cruellement Nicki. Prépare-toi à rôtir comme une dinde mise au four.

— Non! non! supplia Peggy.

A la fin, comme elle n'entrevoyait aucun moyen de s'enfuir, elle soupira :

— D'accord, j'accepte... Je serai des vôtres.

Nicki éclata d'un rire méchant.

— J'aime mieux ça, déclara-t-il. A présent, tu vas me suivre sagement jusqu'à la maison de fumée et t'y endormir sans pleurnicher. Compris?

— Oui, capitula la jeune fille.

En réalité, elle espérait lui fausser compagnie dès qu'elle serait dehors. Elle dut toutefois déchanter, car, sitôt sortis de l'incendie, Nicki et son cheval de feu entreprirent de l'escorter.

— Attention! prévint le garçon. Pas de coup fourré. Le comprimé magique ne te protège plus à présent. Si tu tentes quelque chose, mon cheval te piétinera avec ses sabots de flammes, et tu ne seras pas belle à voir.

Peggy se sentit prise au piège. Que pouvait-elle faire contre un destrier démoniaque?

La mort dans l'âme, elle dut se résoudre à se diriger vers la demeure fantôme. Quand elle fut devant le bâtiment de fumée, Nicki déclara :

— Tu as fait le bon choix, crois-moi. Tu ne le regretteras pas. Tu verras, on s'amusera bien tous les deux. C'est génial de galoper à travers la ville en incendiant tout sur son passage!

Sans répondre, Peggy lui tourna le dos et entra dans la maison. A peine eut-elle franchi le seuil du salon qu'elle fut reprise par les émanations hypnotiques du téléphone portable. Tous ses projets de fuite se diluèrent comme une goutte d'encre dans l'océan. Elle se laissa tomber sur le sol, sans volonté.

« Je ne veux pas dormir! se répétait-elle. Je ne veux pas devenir comme Nicki! Non!»

Par la fenêtre, elle vit le garçon s'éloigner en direction des incendies. Il allait reprendre sa course folle à travers la cité, s'amusant à porter la destruction au long des rues.

Peggy Sue se coucha devant la cheminée. Ses forces l'avaient quittée, laissant place à une immense fatigue. Ses paupières commençaient à se fermer...

« Je suis fichue, songea-t-elle avec lassitude. Demain, quand je me réveillerai, je serai devenue une fille grise. »

Elle s'assoupissait quand une douleur atroce lui traversa la fesse gauche. *Quelqu'un était en train de la mordre !*

Elle poussa un cri et bondit. C'était le chien bleu.

— Tu es enfin réveillée ? lui lança-t-il. Alors ramène-toi et fichons le camp d'ici. Ça m'ennuierait de te boulotter l'autre fesse. Elles ont si bon goût que je crains de ne pas pouvoir m'arrêter.

Les marionnettes de chair

Le lendemain matin, Peggy Sue raconta à Granny Katy ses aventures de la nuit en la priant de n'en souffler mot à personne. Elle craignait, en effet, que Martine ne pique une crise de nerfs à l'énoncé de ces inquiétants prodiges.

— Le complot est évident, murmura la vieille dame, encore faudrait-il savoir de quoi il retourne. En fouillant dans les papiers du zoo, j'ai retrouvé l'adresse du type qui a vendu les animaux à la municipalité d'Aqualia. Il habite en ville. Il serait intéressant d'aller l'interroger.

Le capitaine se préparait à partir au volant de son autopompe pour essayer d'arroser le feu avec une nouvelle mixture de son invention ; il ne fit aucune difficulté pour déposer Granny Katy, Peggy Sue et le chien bleu devant le domicile du marchand de fauves.

— Il s'appelle Mathias Legriffu, expliqua Katy Flanaghan. Jadis, il approvisionnait les cirques en animaux étranges qu'il allait capturer aux quatre coins du cosmos. Je suis curieuse de savoir ce qu'il a à nous apprendre sur les pensionnaires du zoo d'Aqualia.

*

Legriffu était maigre comme une momie desséchée, et d'une grande nervosité. Il fit beaucoup de difficultés pour recevoir les deux visiteuses. Il ne cessait de se ronger les ongles en jetant des coups d'œil en tous sens comme si des ennemis invisibles se tenaient embusqués derrière les meubles.

— Je sais que tout ce qui arrive est ma faute, bredouilla-t-il en se laissant tomber au creux d'un fauteuil, mais, à l'époque, personne n'aurait pu prévoir la tournure des événements.

— Racontez-moi la façon dont vous avez capturé les animaux d'Aqualia, fit Granny Katy.

Legriffu s'agita de plus belle. On eût dit qu'il allait faire des nœuds avec ses bras et ses jambes.

— Je... je voudrais préciser qu'avant cette malheureuse histoire j'étais un grand professionnel, balbutia-t-il. Le gorille élastique du cirque Wharton, c'est moi qui l'ai trouvé! Les pieuvres qui dansent en faisant des pointes sur le bout des tentacules, c'est encore moi!

— D'accord, coupa Katy, mais les baleines, les reptilons, les téléphones portables vivants... *Comment les avez-vous attrapés?*

Legriffu baissa les yeux, visiblement à la torture. A chaque nouvelle question, il se ratatinait un peu plus, au point qu'on avait l'impression de le voir rapetisser sous l'effet d'une formule magique.

— Je... je crois que je suis tombé dans un piège, avoua-t-il enfin. Il y avait trois mois que je parcourais sans succès les galaxies dans l'espoir d'y trouver des bêtes amusantes. Alors que je me préparais à renoncer, ma radio a capté un appel bizarre provenant d'une planète déserte.

— Que disait ce message? s'enquit Peggy Sue.

— Quelque chose comme : « Les colis vous attendent, passez les prendre... » C'était idiot, mais, je ne sais pourquoi, je n'ai pas pu m'empêcher d'y aller. Une force obscure m'y poussait. J'ai dérouté mon vaisseau spatial pour me poser sur ce caillou.

— Ce caillou, comme vous dites, c'était la planète Zêta, précisa Granny Katy. Ravagée il y a un millier d'années par une catastrophe écologique.

— Exact, fit Legriffu. Une terre désolée. Rien que des pierres à perte de vue, et, de temps en temps, quelques ruines à demi ensevelies. Triste à pleurer. Personne ne s'y arrête jamais, c'est tellement déprimant qu'au bout d'une minute on se pendrait si on pouvait trouver un arbre où accrocher une corde! Hélas, plus rien n'y pousse. On ne pourrait même pas y planter un cactus.

— Et les « colis »? s'impatienta Peggy Sue.

— Ils m'attendaient là, souffla le chasseur d'animaux. D'énormes caisses posées dans le désert, au milieu de nulle part. C'était très mystérieux. Les six premières contenaient les baleines, la septième des reptilons en vrac, la huitième un dragon, etc.

— Quoi? s'étrangla l'adolescente. *Les bêtes étaient emballées comme des machines à laver!*

— Oui, avec mon couteau j'ai creusé un trou dans les caisses pour voir ce qu'elles contenaient. Les animaux attendaient sagement, immobiles. Ils respiraient, mais on aurait dit qu'ils n'étaient pas vivants. Vous comprenez?

— Des baleines dans une caisse, sans eau, ça ne vous a pas paru bizarre? insista Peggy.

— Si, convint Legriffu, mais je n'étais plus capable de raisonner. Sur une petite table, quelqu'un avait posé les certificats de vente et de vaccination, ainsi qu'un téléphone portable vivant. Quand je l'ai collé contre mon oreille, il a commencé à me donner des ordres.

— Et vous vous êtes retrouvé forcé d'obéir, compléta l'adolescente.

— Exact, soupira l'homme. J'ai ordonné à mes robots de charger les colis dans les soutes de la fusée, et j'ai décollé. Le téléphone m'a expliqué que je n'aurais à m'occuper de rien, que les bêtes n'avaient pas besoin de nourriture. En gros, il me fallait les livrer sur terre, un point c'est tout.

Granny Katy hocha la tête.

— Cela confirme ce que je pensais, marmonna-t-elle. Ces animaux ne sont pas réels. Il s'agit de créatures factices conçues pour donner l'illusion de la vie.

— Des marionnettes, fit Peggy Sue. Des marionnettes de chair.

Legriffu se passa la main sur le visage.

— Je suis désolé, gémit-il. Mais je n'étais pas dans mon état normal. Comme je suis connu dans la profession, je n'ai eu aucun mal à trouver un acheteur pour la cargaison. Il était spécifié que je devais vendre le lot en bloc.

— Bien sûr, fit Peggy, les animaux n'avaient pas souffert du voyage...

— Pas du tout, confirma le chasseur de fauves. Ils ne sont devenus vivants qu'une fois sortis des caisses. Les gens les trouvaient extraordinaires. Dès qu'ils s'en approchaient, ils étaient comme envoûtés. Le succès a été immédiat. Ensuite, les choses se sont dégradées.

— Il est certain que vous êtes tombé dans un piège, conclut Katy Flanaghan. En vous posant sur cette planète, vous n'avez vraiment vu personne ?

— Non, rien qu'un désert qui s'étendait jusqu'à la ligne d'horizon. Des galets... partout des galets. Des roches. Un paysage aride, brûlé. Je crois que cette planète a été dévastée il y a mille ans par le passage d'une comète. Ses radiations ont transformé la terre en poudre de verre, détruisant toute forme de vie. On dit que même les océans ont été changés en un gigantesque bloc de cristal. Un véritable enfer. Plus d'eau, plus de terre, plus de plantes... Quand la comète s'est éloignée, Zêta était devenue un caillou inhabitable.

— Dans ce cas, remarqua Peggy Sue, comment les baleines et les reptilons auraient-ils pu y survivre ?

— Je ne sais pas ce qu'ils faisaient là, avoua Legriffu. Mais les caisses étaient recouvertes d'une épaisse couche de poussière. Il m'a semblé qu'elles m'attendaient depuis des centaines d'années.

— Quelqu'un les avait disposées à votre intention, fit Granny Katy. Ou du moins, à l'intention du premier voyageur intergalactique qui viendrait à passer dans le coin. Vous n'avez pas eu de chance. Votre radio a capté le message hypnotique que le téléphone vivant diffusait depuis plusieurs siècles, dans l'espoir qu'un cosmonaute naïf se laisserait prendre au piège.

— Voilà, soupira le chasseur, vous connaissez toute l'histoire. Je puis vous jurer qu'il n'y avait personne là-haut. D'ailleurs, les instruments de mon vaisseau n'ont détecté *aucune* forme de vie. Si j'avais été dans mon état normal cela m'aurait mis la puce à l'oreille et je n'aurais pas chargé les caisses, mais j'étais hypnotisé... Depuis je me cache. J'ai honte d'avoir été à l'origine de toutes ces catastrophes.

— Ce n'est pas votre faute, fit Peggy Sue, conciliante. Vous n'aviez plus votre tête.

La grand-mère et sa petite-fille prirent congé du malheureux chasseur de fauves.

— J'ai l'impression que nous sommes les victimes d'un complot extraterrestre, décréta Katy Flanaghan. *Un complot ourdi par des gens morts il y a un millier d'années.* Voilà qui n'est pas banal !

La pelote capricieuse

— Tu sais, dit Peggy à sa grand-mère, quand je me promenais à l'intérieur de l'incendie avec ce garçon, Nicki, j'ai remarqué un truc curieux...

— Quoi donc?

— Il m'a semblé que les gens gris *travaillaient...* Ils étaient là, portant de lourds paniers dont ils déversaient le contenu dans les flammes. Je n'ai pas pu voir de quoi il s'agissait, mais ils étaient des dizaines et des dizaines, formant une chaîne ininterrompue. On aurait dit des vendangeurs versant le raisin dans une cuve.

— En effet, fit pensivement Granny Katy, c'est assez étrange.

— Je crois qu'il faudrait se glisser au cœur des flammes pour aller voir ce qui s'y cache, proposa l'adolescente.

— Ma pauvre petite, c'est impossible! hoqueta la vieille dame. C'est un feu magique, rien ne lui résiste. J'en ai parlé au capitaine Langley. Il m'a dit que même les scaphandres en amiante utilisés par les pompiers s'enflammaient au bout de trente secondes. Quant à Sebastian, inutile d'y penser. L'eau qui permet à son corps de conserver sa forme humaine s'évaporerait sous l'effet de la chaleur. Le pauvre s'effriterait et tomberait en poussière au milieu du brasier.

— Je sais tout ça, s'impatienta Peggy. Mais il y a peut-être une autre solution... Pendant que je tricotais le pull en poil de loup-garou, lors de notre arrivée à Aqualia, tu m'as dit que tu t'y connaissais super-bien en matière de laine magique. Tu m'as même parlé d'une pelote ensorcelée que tu conservais dans ton attirail. Je me trompe?

— Non, fit la vieille dame dont le regard s'était fait fuyant, mais j'ai peut-être été trop bavarde. Tu ferais mieux d'oublier ce que je t'ai raconté ce jour-là.

— Pas question! s'entêta l'adolescente. Je ne suis pas idiote, je n'écoutais que d'une oreille mais je me rappelle bien que tu as parlé d'une matière capable de résister à n'importe quelle agression.

— C'est vrai, admit Granny Katy. Je garde cette pelote dans le camion.

— Montre-la-moi! exigea Peggy.

A regret, Katy Flanaghan conduisit sa petite-fille à l'arrière du véhicule où était entreposé son laboratoire.

— Voilà la pelote magique, soupira-t-elle en soulevant le couvercle d'un coffre. Les aiguilles qui y sont piquées ont été taillées il y a des millions d'années dans un os de dinosaure.

Peggy Sue s'approcha avec méfiance. La pelote grise avait la taille d'une boule de bowling.

Les aiguilles jaunâtres évoquaient d'interminables canines.

— On appelle ça de la « laine de fée », expliqua Katy Flanaghan. Elle est indestructible, *elle résiste au feu*. C'est ce que tu voulais savoir ?

— Est-ce que je ne pourrais pas me tricoter un vêtement de protection qui me permettrait de me déplacer au milieu des flammes en toute impunité ?

Granny Katy s'agita, mal à l'aise.

— En théorie, oui, lâcha-t-elle avec réticence, mais ce serait hyper-dangereux.

— Je tricoterai une espèce de combinaison, insista Peggy Sue. Un peu comme un collant de danseuse, mais avec des gants et une cagoule qui me couvrira le visage. Je n'y ferai aucun trou, ni pour les yeux ni pour la bouche. Pour me déplacer, je regarderai entre les mailles, ce ne sera pas compliqué. La laine tricotée reste transparente.

— Tu es folle, balbutia sa grand-mère. C'est vrai que cette pelote est magique, mais c'est également une laine capricieuse, qui ne se laisse tricoter que si elle en a envie. Il faut... *il faut la charmer*, comme un serpent, sinon tu la verras s'en aller de tes aiguilles pour se rouler en boule.

— De la laine capricieuse, grommela Peggy. D'accord, c'est nouveau, je ne connaissais pas.

— Tout ce qui est magique a un bon et un mauvais côté, soupira Katy Flanaghan, c'est une règle fondamentale de la sorcellerie. Dans le cas de la laine, elle n'aime guère collaborer avec les humains. Elle a été filée avec du poil de démon, je suppose que c'est là, pour la créature qu'on a tondue comme un mouton, une manière de se venger.

— Alors elle fiche le camp des aiguilles au fur et à mesure qu'on la tricote?

— Oui, cela revient à dire qu'on n'avance pas, puisque l'ouvrage se défait peu à peu. Mais il existe un moyen de l'obliger à rester sage : il faut lui chanter des chansons. Les charmeurs de serpents jouent de la flûte, toi tu devras lui fredonner des berceuses.

— Quoi? protesta Peggy Sue, mais je chante comme un ressort rouillé!

— Il te faudra tout de même essayer, sinon la laine s'en ira de tes aiguilles à chaque nouvelle maille.

— Le chien bleu sait très bien chanter, se rappela Peggy [1], je vais lui demander de m'aider.

Elle s'empressa d'aller chercher son sac à dos pour y ranger la pelote magique. Le chien bleu dormait, la truffe posée sur les pattes. Peggy le réveilla pour lui exposer le problème auquel ils étaient confrontés.

— Je peux t'apprendre des chansons, déclara l'animal, mais ce seront des chansons de chien. Je ne suis pas certain que tu sois capable d'en aboyer convenablement le refrain.

Les deux amis s'installèrent dans le réfectoire de la caserne. Peggy Sue posa l'énorme pelote de laine

---

1. Voir *Le Papillon des abîmes*.

grise sur la table et saisit les aiguille en os de dinosaure.

— Allons-y! lança-t-elle en gonflant ses poumons comme si elle allait plonger au fond des mers.

La jeune fille ne tarda pas à se rendre compte que sa grand-mère avait dit la vérité : si l'on tricotait en silence, les mailles se défaisaient à peine le rang entamé, et le brin de laine s'en allait, tel un interminable asticot, pour retourner se lover autour de la pelote d'où on l'avait tiré.

— Nom d'une saucisse atomique! grogna le chien bleu, ça paraît vivant.

— C'est du poil de démon, expliqua Peggy Sue. Je préfère ne rien savoir de l'allure qu'avait la bestiole sur le dos de qui on l'a tondu! Je vais recommencer pendant que tu chanteras.

— D'accord.

Le chien bleu entama alors l'une de ses compositions.

— Il s'agit d'un rock mélancolique style *Blueberry Hill,* crut-il nécessaire de commenter, c'est beaucoup mieux si c'est chanté en chœur par trois caniches et un doberman, mais je pense que tu n'en saisiras pas toutes les subtilités.

Peggy Sue fit de son mieux pour fredonner l'étrange mélodie. Si l'on oubliait les aboiements, la chanson était, du reste, assez agréable pour une oreille humaine.

— Hé! souffla-t-elle, pendant que les aiguilles d'os cliquetaient entre ses doigts. Ça marche!

Commença alors un combat éprouvant contre la laine qui s'obstinait à se détricoter dès que le chien bleu s'arrêtait de chanter pour reprendre sa respiration ou laper un peu d'eau au fond de son écuelle.

— Attention! hurlait Peggy, je viens de perdre vingt mailles d'un coup... Chante! Chante!

Par bonheur, lorsqu'on la berçait de chansonnettes, la laine de démon se travaillait avec une remarquable facilité, si bien que le vêtement protecteur progressait rapidement.

— Je l'aurai fini à la tombée de la nuit, diagnostiqua Peggy Sue. Je l'utiliserai aussitôt, sinon il se détricoterait pendant notre sommeil.

— Tu vas rentrer dans le feu revêtue de cette affreuse chose? chanta le chien bleu qui s'exprimait comme dans une comédie musicale.

— Je n'ai pas le choix, répondit la jeune fille sur le même ton. Il faut à tout prix découvrir ce que les gens gris mettent à cuire au cœur des incendies.

*

Ils travaillèrent ainsi tout le jour. Le costume magique prenait forme. Il aimait les chansons du chien bleu et ne faisait plus mine de se rouler en pelote.

— Je ne pourrai pas t'accompagner dans les flammes, chanta l'animal. Tu n'auras pas assez de laine pour faire un second costume à ma taille. C'est bête, j'aurais pu te suivre, ça t'aurait dispensée de massacrer mes chansons.

— Tant pis, soupira Peggy, je me débrouillerai à ma façon.

Vers le soir, Granny Katy vint leur rendre visite pour voir comment les choses évoluaient. Elle ne cacha pas son inquiétude.

— Je voudrais que tu y réfléchisses à deux fois avant de te lancer dans cette aventure, dit-elle. Tu vas courir un grand danger. Songe qu'une fois dans le brasier, si tu t'arrêtes de chanter, le costume commencera aussitôt à se défaire. Tu verras les mailles sauter une à une, et le fil de laine se mettre à ramper hors de l'incendie pour se rouler en boule.

— Je sais, fit Peggy Sue, mais je n'ai pas trouvé d'autre solution pour découvrir le secret du feu.

La nuit tombait. La combinaison de laine était achevée. L'adolescente l'enfila. Elle se révéla trop étroite et grattait furieusement.

— Quelle horreur! chanta le chien bleu. Tu as l'air d'un chat géant dressé sur ses pattes de derrière!

— N'y va pas! supplia Granny Katy. Pense à ce qui se produira si tu t'arrêtes de chanter ne serait-ce qu'une seconde!

Mais Peggy passa outre. Après avoir embrassé sa grand-mère, elle quitta la caserne, le chien bleu sur les talons.

Courageusement, elle s'avança à la rencontre du rideau de feu qui ceinturait le quartier, là où toute une barrière d'immeubles brûlait en ronflant.

— J'ai la trouille! chanta l'animal. Katy pourrait bien avoir raison.

— Je n'ai pas le temps de me montrer prudente, répliqua l'adolescente, je sens qu'un grand danger nous menace. Le feu sert de coffre-fort aux gens gris ; sachant qu'il nous est impossible d'y entrer, ils y cachent leurs secrets.

Les deux amis s'immobilisèrent car ils avaient atteint la frontière de feu. Le chien bleu ne pouvait pas aller plus loin. Peggy Sue s'éclaircit la gorge et commença à fredonner, pour prendre le relais. L'animal s'était tu. La jeune fille chanta plus fort en scrutant ses bras et ses jambes pour s'assurer que le costume magique ne se défaisait pas. Comme rien ne se passait, elle adressa un signe d'amitié au chien bleu... et entra dans le mur de flammes.

Pendant une minute elle chantonna d'une voix tremblante car elle s'attendait à être brûlée vive d'une seconde à l'autre, puis elle se rendit compte que la laine magique remplissait son office en l'isolant parfaitement du feu.

« Quoi de plus normal, se dit-elle, puisque c'est le poil d'un démon habitué à vivre dans les flammes de l'enfer ! »

Elle avait chaud et transpirait, mais aucune sensation de brûlure n'assaillait son corps. Éblouie par la clarté des flammes, elle avançait à tâtons sans cesser de fredonner les créations du chien bleu. Au cours de la journée, ils s'étaient aperçus que certains airs déplaisaient à la laine et ne l'empêchaient pas de se détricoter. Il fallait donc s'en tenir à un répertoire précis. Ce n'était pas facile car Peggy n'avait jamais été bonne chanteuse. Chaque fois qu'elle s'arrêtait, à bout de souffle, elle sentait une sorte de frémissement parcourir la combinaison, comme si les mailles se préparaient à se dénouer pour reprendre leur liberté. L'adolescente se dépêchait alors de recommencer son récital.

S'orienter au milieu de l'incendie se révéla difficile. En outre, Peggy Sue craignait de se faire repérer par les gens gris si elle débouchait par mégarde au milieu d'un rassemblement. A travers les tourbillons du brasier, elle distinguait des silhouettes courbées sous le poids des grands paniers. Les compagnons du feu avaient donc repris leur besogne dès la lune levée... Que cachaient-ils ici, au cœur de l'incendie ?

Peggy s'approcha du groupe aussi près que possible. Comme elle devait continuer à chanter sous peine de voir son costume se défaire, il lui était impossible de s'avancer en terrain découvert. Par bonheur, le ronflement des flammes étouffait en partie sa voix.

Dissimulée derrière un pan de mur, elle observa les gens gris. Parvenus au centre de l'incendie, ils s'empressaient de vider les hottes juchées sur leurs épaules, et s'en retournaient aussitôt quérir une autre charge.

« Mais... songea Peggy, *ce sont des pierres!* »

Paniers et hottes ne contenaient que des galets. Des galets semblables à ceux que les baleines crachaient sur la ville chaque fois qu'elles faisaient le tour du lac.

Ça n'avait aucun sens !

« Ils mettent des cailloux à cuire! se dit la jeune fille. Seraient-ils devenus fous? »

Son instinct lui souffla qu'il ne pouvait en être ainsi, il y avait donc une autre explication. Mais laquelle?

Profitant de ce que les mystérieux travailleurs s'éloignaient, Peggy Sue sortit de sa cachette pour voler l'un des galets. Il lui parut plus lourd et plus gros que ceux qui recouvraient la ville. Sans réfléchir, elle l'emporta dans ses bras et battit en retraite. Granny Katy saurait sûrement en tirer quelque chose.

Elle commençait à avoir la gorge sèche et sa voix devenait rocailleuse. En fait, elle mourait de soif et le costume magique la grattait affreusement.

« J'ai dû perdre dix litres de sueur depuis que je suis entrée dans le feu », se dit-elle.

Imbibée de transpiration, *la laine commençait à rétrécir sur elle*, la gênant aux entournures.

« Il ne faudrait pas que le vêtement craque sur moi, pensa-t-elle avec un frisson d'horreur. Si je me retrouve toute nue au milieu des flammes, je grillerai comme une saucisse sur un barbecue. »

Désormais, elle avançait à petits pas. Sa voix tremblait et ses chansons commençaient à prendre un tour discordant peu agréable à l'oreille. Elle poussa un gémissement d'épouvante en apercevant soudain un petit brin de laine qui se tortillait au bout de son pied gauche, comme un vermisseau... Mécontent du récital dont on l'abreuvait, le fil magique s'en allait, faisant sauter une à une les mailles du costume.

Peggy Sue se reprit. Raffermissant sa voix, elle entonna un nouveau couplet. Le brin de laine cessa de s'étirer, mais une sensation de vive cuisson s'empara du gros orteil de l'adolescente. La chaleur s'introduisait dans le minuscule trou ouvert par les trois mailles qui venaient de sauter!

C'était horrible.

Malgré la douleur qui lui traversait le pied, Peggy s'appliqua à chanter du mieux possible. Il fallait que l'habit magique continue à être satisfait du récital, sinon il se déferait encore plus vite, l'abandonnant sans protection dans le piège du brasier.

Les dix derniers mètres furent un supplice. Enfin, Peggy émergea du mur de flammes et s'écroula sur le sol.

Le chien bleu et Granny Katy l'attendaient au bord du trottoir. Ils se précipitèrent pour la secourir.

Dès qu'elle cessa de chanter, le costume se défit avec une incroyable rapidité. En l'espace de deux minutes, la laine s'était roulée en pelote dans le caniveau.

— Comment te sens-tu? demanda d'un ton angoissé Katy Flanaghan.

— Je meurs de soif, haleta Peggy Sue. Et j'ai le gros orteil cuit à point... à part ça tout va bien.

La solution du mystère

Granny Katy appliqua sur l'orteil de Peggy Sue un onguent qui soulagea la douleur de la brûlure. La laine capricieuse retourna dans le sac à dos. Si elle demeurait d'une utilisation délicate, elle n'en avait pas moins permis à l'adolescente de se promener impunément au cœur de l'incendie allumé par le dragon.

A présent, tous les regards étaient tournés vers le gros caillou rapporté du brasier qui trônait sur la table du réfectoire.

— Ainsi, les gens gris jettent des galets dans les flammes... marmonna, l'air pensif, Katy Flanaghan.

— Exact, renchérit Peggy Sue. Comme on jette du charbon dans le foyer d'une locomotive. Mais le charbon brûle et alimente le feu, alors que les galets ne sont pas combustibles.

— C'est à n'y rien comprendre, soupira la vieille dame.

Le chien bleu s'approcha du caillou pour le flairer.

— Ça n'a pas d'odeur, annonça-t-il, pourtant je serais prêt à parier qu'il y a quelque chose dedans.

— Que veux-tu dire? s'étonna Peggy.

— C'est difficile à expliquer, grogna l'animal, mais je capte une émission mentale... C'est très faible, ça grésille, ça ne dit rien de précis, mais une chose est sûre : ça provient de l'intérieur du galet.

Peggy Sue et Granny Katy échangèrent un regard stupéfait.

— Tu prétends qu'une créature se cache au cœur du caillou, murmura l'adolescente en se penchant vers le chien. Une créature qui pense?

— Ouais, jappa l'animal. C'est encore petit, peu développé... ou très endormi, je ne sais pas, mais c'est là, comme une graine enfouie dans la pierre.

Peggy Sue tressaillit. Une théorie affreuse venait de lui traverser l'esprit.

— Oh! non! haleta-t-elle. Faites que ça ne soit pas ce à quoi je pense.

— Tu as une idée? s'inquiéta sa grand-mère.

— Oui, bredouilla la jeune fille. Je crois avoir compris. Les galets... Ce ne sont pas de simples cailloux, *ce sont des œufs!* Des œufs venus de l'espace. Voilà pourquoi les gens gris les placent dans le feu : pour leur permettre d'arriver à éclosion. Les incendies ont été allumés par le dragon pour couver les « galets ». Je pense que ce type d'œuf a besoin d'une chaleur particulière pour parvenir à maturité. Une chaleur constante qui ne risque pas de s'éteindre.

— Bien sûr! s'exclama Granny Katy. Tout se tient. Le voilà, le complot dont je vous parlais depuis le début. Les baleines sont des bombardiers, leurs flancs étaient remplis de millions d'œufs de pierre. Des œufs qui ont l'apparence de simples galets et qu'elles avaient pour mission de cracher sur la ville quelques mois après leur arrivée sur terre. Mais ces œufs ont besoin de chaleur pour éclore ; c'est là que le dragon entre en scène. Il assure la partie « chauffage » de l'opération. Son travail consiste à incendier la ville pour la transformer en couveuse artificielle géante...

— Les reptilons, eux, jouent le rôle de gardes du corps, poursuivit Peggy Sue. Ils empêchent les humains de reprendre le contrôle de la situation. Ils protègent les baleines. Quant aux téléphones portables vivants, ils hypnotisent les habitants de la cité pour les changer en serviteurs du démon...

— Je ne crois pas qu'il s'agisse d'un démon, corrigea Granny Katy. Je pencherais plutôt pour une invasion extraterrestre. Tu te rappelles ce que nous a raconté Legriffu, le chasseur d'animaux extraordinaires ?

— Oui, qu'il avait trouvé les pensionnaires du zoo d'Aqualia emballés dans des caisses sur une planète déserte à l'autre bout du cosmos.

— Sur Zêta, pour être précis. Une planète ravagée par une comète, il y a mille ans.

Peggy Sue se dressa, et, sous l'effet de l'excitation, se mit à arpenter le réfectoire en tous sens.

— Je comprends, siffla-t-elle. Tu veux dire que les créatures qui vivaient sur Zêta auraient très bien pu trouver un moyen d'échapper à la catastrophe ?

— Oui, dit Katy Flanaghan. Si leur technologie était très avancée, ils ont détecté la venue de la comète plusieurs semaines avant qu'elle n'entre dans l'orbite de leur planète. Ils n'avaient pas le temps d'entreprendre une évacuation générale. Sans doute ne disposaient-ils pas d'assez de fusées pour sauver toute la population... alors ils ont eu recours à un autre moyen.

— Ouais! intervint le chien bleu. Pour échapper aux radiations de la comète, ils ont choisi de se placer en état de vie suspendue, et de se cacher dans une coquille protectrice en forme de caillou.

— Ça doit être quelque chose comme ça, rêva Peggy Sue. Ils ont réduit chaque habitant de Zêta aux dimensions d'un poussin, et l'ont emballé dans une boule constituée d'un matériau capable de résister aux pires agressions. Si bien que lorsque la comète a frôlé Zêta, elle n'a détruit que les villes et la végétation. Les habitants, eux, étaient déjà entassés au long des rues, *sous forme de galets.*

— Ce n'était que la première partie de l'opération, reprit Katy Flanaghan. Il fallait ensuite organiser l'évacuation, se trouver une autre terre d'accueil, car Zêta était désormais un monde mort. Je pense que peu de temps avant la catastrophe, les fameuses caisses découvertes par Legriffu avaient été enfouies dans le sol. Elles contenaient de faux animaux conçus en laboratoire, des robots ayant l'apparence de la vie et dont la mission consistait à transporter ailleurs une partie des œufs. Quelques années après le cataclysme, un mécanisme d'horlogerie a déclenché l'ascension de la plate-forme sur laquelle reposaient les caisses. Au même moment, un téléphone commençait à diffuser un message hypnotique à travers le cosmos.

— Il a fallu mille ans pour que Legriffu passe assez près pour entendre ce message, dit Peggy Sue, et qu'il embarque les caisses.

— Le reste du plan a fonctionné comme l'avaient prévu les Zêtans, grogna Katy. Dès leur arrivée sur la Terre, les animaux robotisés ont analysé leur nouvel environnement. Ayant estimé que les conditions de vie convenaient parfaitement à leurs maîtres, ils sont passés à la deuxième phase de l'opération.

— On les a crus malades, alors qu'en réalité ils déclenchaient le processus d'invasion, fit le chien bleu. Les sales bêtes !

Peggy Sue haletait sous l'effet de la surprise.

— Tout était prévu, souffla-t-elle, mais les habitants d'Aqualia n'y ont rien compris.

— Les baleines se sont délestées des œufs pendant que le dragon allumait le feu nécessaire à leur éclosion, réfléchit Katy Flanaghan. Un feu spécial, le seul capable de faire sortir les Zêtans de leur sommeil millénaire.

— Tu crois que toute la population de Zêta a émigré dans le ventre des baleines ? demanda Peggy.

— Non, répondit sa grand-mère. Je pense que tous les galets ne sont pas « habités ». La plupart des cailloux qui nous entourent ne sont, effectivement, que des cailloux sans importance. Les cétacés les fabriquent à partir de l'eau du lac, pour brouiller les pistes. Mais parmi ces pierres se cachent les œufs. Des œufs que seuls les gens gris sont capables de distinguer. Dans ces « galets » dorment les membres d'un corps expéditionnaire constituant l'avant-garde de l'invasion. Je suppose qu'ils sont cependant assez nombreux et suffisamment dangereux pour prendre le contrôle de notre monde. Plus tard, ils utiliseront nos propres vaisseaux spatiaux pour aller chercher le reste des Zêtans.

Pendant une minute, plus personne ne parla. Chacun digérait l'information. Il ne s'agissait plus, à présent, de soigner des animaux malades. Le problème était tout autre.

— Ils ont formidablement combiné leur coup, observa la vieille dame d'un ton rêveur. Le feu les ramène lentement à la vie, mais il les protège, aussi. A part les gens gris, aucun Terrien ne peut pénétrer dans les brasiers. Quant aux substances habituellement utilisées pour vaincre les incendies, elles restent sans effet sur lui. C'est parfait. On ne peut imaginer plan d'invasion mieux conçu.

Peggy Sue serra les poings.

— On ne peut vraiment rien faire contre eux ? gémit-elle.

— Dans l'état actuel de nos connaissances, non, soupira sa grand-mère. Pour empêcher que les œufs n'éclosent, il faudrait être en mesure d'éteindre les incendies qui ravagent la ville. Privés de chaleur, les Zêtans resteraient prisonniers de leurs coquilles.

En théorie c'est superbe, mais voilà : *comment vaincre le feu?*

— Tu ne pourrais pas inventer un produit magique... Une substance? supplia Peggy.

— J'ai essayé, ma petite fille, j'ai essayé, soupira Katy Flanaghan. J'ai déjà remis plusieurs décoctions de mon invention au capitaine Langley. Jusqu'à présent, aucune n'a fonctionné. Elles s'évaporent avant même d'avoir touché les flammes tant la chaleur du brasier est terrible.

— Et si nous tentions de casser les œufs? proposa le chien bleu. En les faisant exploser, par exemple... On pourrait jeter des bombes dans les incendies. La déflagration ferait voler les coquilles en mille morceaux et le tour serait joué. Qu'en pensez-vous?

— Ça me paraît trop facile, marmonna Granny Katy. Les Zêtans ont dû prévoir une telle riposte. Nous en parlerons au capitaine Langley, mais je n'y crois guère.

*

Le soir même, ils révélèrent à Martine et à son père la terrible vérité. La grande fille au nez pointu se cacha le visage dans les mains; le chef des pompiers abattit son poing sur la table avec colère.

— J'ai de la dynamite dans la réserve, lança-t-il. Donnez-moi cet œuf, je vais le réduire en miettes!

Hélas, comme l'avait prévu Granny Katy, l'opération se solda par un échec et le « galet » sortit indemne de l'explosion.

— Pas une fissure, pas une marque, hoqueta le capitaine. C'est... diabolique !

— Nous sommes fichus, pleurnicha Martine. On ne pourra jamais empêcher ces horribles monstres d'envahir la Terre ! Nous deviendrons leurs esclaves ! Peut-être même nous dévoreront-ils ! Quelle horreur !

Son père lui ordonna sèchement de se reprendre.

Peggy Sue, elle, songeait à l'étrange personnage qu'elle avait entrevu dans la maison de fumée. Ce drôle de bonhomme au crâne ovoïde et qui possédait une troisième main à la place du nombril.

« Était-ce un Zêtan ? se demanda-t-elle. Il était plutôt rigolo à contempler, mais il ne plaisantait pas. En fait, il n'avait pas du tout l'air commode. »

— Nous voilà plutôt mal partis, grogna mentalement le chien bleu. D'habitude, ce sont les humains qui mangent les œufs, mais là, pour une fois, on dirait bien que ce sont les œufs qui vont nous manger.

L'éternuement qui tue

Cette découverte laissa nos amis anéantis pendant trois jours. Peggy Sue se creusait les méninges pour essayer d'imaginer un plan de bataille, hélas, aucune idée géniale ne lui traversait l'esprit.

Le chien bleu, lui, faisait la chasse aux téléphones portables vivants qui, dès la nuit tombée, essayaient de s'introduire en rampant dans la caserne.

— Ils viennent nous hypnotiser, lança Peggy Sue. Dès que nous serons endormis, ils se glisseront dans nos lits pour murmurer à nos oreilles.

— Ne crains rien, répondit l'animal, je n'en laisserai passer aucun, ils ont une odeur particulière qui permet de les repérer facilement. Hélas, ils ne sont pas bons à manger. Leur goût est à peu près celui d'une souris en caoutchouc qu'on aurait nourrie à l'antimite.

L'adolescente ne fut qu'à demi rassurée. Chaque fois qu'elle se couchait, elle inspectait son lit de fond en comble. A deux reprises, déjà, elle avait découvert un portable tapi dans les plis des draps.

« Ils n'ont pas renoncé à faire de nous des serviteurs du feu, se disait-elle. Tant que nous resterons dans ce quartier nous serons en danger. »

*

Le lendemain, accompagnée du chien bleu, elle grimpa sur le toit de la caserne et, à l'aide de puissantes jumelles empruntées au capitaine, observa le manège des gens gris.

— Après tout, remarqua son compagnon à quatre pattes, on ne sait pas grand-chose des extraterrestres cachés dans les galets. Leurs intentions sont peut-être pacifiques ?

— Je voudrais le croire, répondit Peggy, mais je n'en ai pas l'impression. Quand ce petit bonhomme à tête d'œuf s'est matérialisé dans la maison de fumée, il ne m'a pas fait l'effet de quelqu'un de sympathique.

— D'où venait-il, ce bonhomme ? grogna le chien bleu. Tous les Zêtans sont actuellement endormis au creux des galets, il est donc peu probable que l'un d'eux soit déjà sorti de sa coquille, non ?

— Il n'était pas réel, précisa l'adolescente, c'était un esprit... tu vois ? Une espèce de fantôme modelé dans la fumée. Il se servait de la suie pour se donner une apparence.

— C'est sans doute un chef de chantier virtuel, réfléchit l'animal. Une espèce d'hologramme programmé. Il est là pour surveiller la bonne progression des travaux.

*

Chaque nuit, les gens gris se remettaient au travail. Leur hotte sur le dos, ils allaient ramasser des galets sur la plage pour les rapporter dans la zone incendiée. Là, ils pénétraient dans les immeubles en flammes pour déposer les œufs au cœur du brasier, où la chaleur était intense. Peggy Sue ne pouvait s'empêcher d'éprouver une réelle admiration pour la procédure imaginée par les extraterrestres. Ils étaient en train d'envahir une planète en dormant. On n'avait jamais vu ça !

Inquiète, elle se rendit auprès de sa grand-mère qui étudiait toujours l'œuf volé aux gens gris.

— La pensée qui grésillait dans la coquille s'est éteinte, annonça la vieille dame. Le Zêtan qui se cache dans ce « caillou » s'est rendormi.

— Je comprends, fit Peggy Sue. Dès qu'on les sort du feu magique, le processus de réveil s'interrompt.

— Oui. L'œuf redevient un banal galet. Une sorte d'emballage pétrifié enveloppant une minuscule créature fossile en hibernation perpétuelle.

— Donc, tout dépend du feu. *Si l'on parvenait à éteindre les incendies, les œufs ne pourraient pas éclore.*

— Parfaitement raisonné, confirma Granny Katy. Un seul problème : nous sommes incapables d'en finir avec ces fichus brasiers.

Peggy Sue se mit à arpenter la pièce.

— J'ai... j'ai eu une idée, annonça-t-elle. Je ne sais pas ce qu'elle vaut, mais je voudrais t'en parler.

On nous a raconté que c'est parce qu'il toussait que le dragon s'est mis à cracher le feu, OK?

— Oui.

— Je me demandais ce qui se passerait *s'il éternuait*. Mon intuition me dit que seul le dragon est capable d'éteindre les incendies. Ce serait logique, non? Il allume, il éteint, il est le maître des flammes... L'extincteur que nous cherchons désespérément c'est peut-être lui, et personne d'autre!

— Pas bête du tout, admit la vieille dame. Ce serait bien digne des Zêtans d'avoir imaginé une telle ruse!

— Normal, renchérit l'adolescente. Un jour ou l'autre, il faudra bien qu'ils envisagent d'éteindre ces incendies avant que le feu ne ravage la planète. A quoi bon coloniser la Terre si elle se transforme en brasier? A mon avis, ils ont déjà prévu cette deuxième phase de l'invasion. Le dragon est tout à la fois un lance-flammes et un extincteur. Quand il tousse, il allume des feux, quand il éternue, il les éteint...

— Un éternuement magique qui soufflerait les incendies comme les bougies d'un gâteau d'anniversaire.

— Oui, confirma Peggy Sue. Je sais que cette hypothèse a l'air farfelue, mais pourquoi ne pas essayer puisque nous n'avons rien d'autre?

— Je ne suis pas loin de croire que tu as trouvé la solution de l'énigme, déclara Katy Flanaghan. Une telle ruse correspondrait assez bien à la manière de penser des Zêtans. Le dragon, à la fois lance-flammes et extincteur... oui, c'est très séduisant. Ses maîtres ont pu lui donner ce double pouvoir. Il faut travailler là-dessus.

La vieille dame entreprit aussitôt de fouiller dans ses livres de magie. Certains étaient vivants et fort capricieux. Ils refusaient de s'ouvrir si on ne les astiquait pas, au préalable, avec un cirage capable de faire briller le cuir fatigué de leur reliure. D'autres, facétieux, avaient pour habitude de rendre invisibles les textes qui s'y trouvaient imprimés. Il fallait les abreuver de compliments pour qu'ils daignent faire réapparaître les mots.

Après avoir consulté différents grimoires, Katy Flanaghan releva la tête, l'air soucieux.

— Il est possible de fabriquer de la poudre à éternuer pour dragon, annonça-t-elle. Toutefois, la recette n'est pas sans danger pour les humains.

— Comment cela? s'enquit Peggy Sue.

— Ce qui fait éternuer un dragon désarticule complètement un pauvre mortel, expliqua la vieille dame. Si par malheur tu respirais un gramme de cette poudre infernale, tu éternuerais si fort que tes oreilles, ton nez, tes doigts et tes orteils se détacheraient de ton corps pour tomber par terre.

— Quelle horreur! hoqueta l'adolescente. C'est absolument abominable!

— Je sais, mais il n'y a pas moyen de faire autrement. Lorsque nous manipulerons cette poudre, il faudra porter des masques. Le chien bleu, à cause de son flair, y sera particulièrement vulnérable. Il faudra l'éloigner du lieu de fabrication.

— Sebastian pourrait nous être utile! s'exclama Peggy.

— Je ne sais pas, grommela Granny Katy. Rappelle-toi ce qui est arrivé avec les reptilons. Il se croyait immunisé contre leurs morsures, ça ne l'a pas empêché d'exploser.

— Je sais, toutefois, comme il est composé de sable, il est sûrement moins sensible que nous aux odeurs.

— Nous verrons. Il ne faut pas se leurrer. Concocter cette substance sera risqué car je ne suis pas certaine de pouvoir recoller les nez et les oreilles qui tomberont du visage des victimes.

— Tu ne pourrais pas fabriquer quelque chose de moins fort?

— Si, mais dans ce cas le dragon n'éternuera pas. Il faut choisir. Je vais annoncer nos intentions au capitaine des pompiers.

Le père de Martine ne se montra guère emballé par les intentions de ses invitées. Il condamnait les pratiques magiques et désirait vaincre le feu par des moyens naturels.

— Je suis désolé, déclara-t-il, mais je dois vous prier de quitter la caserne. De toute manière, ma fille a peur de vous. Elle ne veut plus être mêlée à vos manigances. Je sais que vos intentions sont honorables, hélas, je condamne la sorcellerie. Pour moi, c'est une tricherie, une solution de facilité. Vous donnez le mauvais exemple à Martine... Ce que vous allez tenter pourrait bien engendrer une catastrophe à laquelle je refuse de m'associer. Je vous demande donc d'emballer vos affaires et de vider les lieux avant ce soir.

Il n'y avait pas à discuter. Peggy Sue ne fut pas surprise de cette réaction : au cours des derniers jours, elle s'était rendu compte que Martine l'évitait. La grande fille au nez pointu n'était pas taillée pour mener une existence aventureuse.

Peggy occupa l'heure qui suivit à entasser dans le camion le matériel de sa grand-mère, les fioles, les grimoires, sans oublier, bien sûr, le crapaud péteur dont les « Coâ... coâ... » avaient la régularité d'une montre à quartz.

— Hé bien, nous revoilà sur les routes! soupira Katy Flanaghan. Ce n'est pas grave, quand on est sorcière, on a l'habitude de faire peur aux braves gens. Le plus important, maintenant, c'est de dénicher un bâtiment abandonné où nous pourrons entamer nos expérimentations.

A force d'errer à travers le quartier des incendies, Peggy Sue découvrit une fontaine. Aucun reptilon ne la gardait, aussi s'empressa-t-elle d'y remplir un seau. Lorsqu'elle versa le liquide dans le coffre rempli de sable, elle eut le bonheur de voir la poussière bouillonner et prendre forme.

— Ça marche! cria-t-elle.

Au fond de la malle, le visage de l'adolescent lui souriait maladroitement.

Dragon, où es-tu ?

Au cours de la semaine qui suivit, ils durent tous s'habituer à porter des masques de tissu confectionnés par Granny Katy, cela pour éviter de respirer les vapeurs de la poudre à éternuer qui cuisait à petit feu dans le chaudron. Le chien bleu, en raison de son flair légendaire, restait à bonne distance du laboratoire. Le crapaud péteur, qui vivait au milieu d'une puanteur permanente, ne sentait plus rien depuis longtemps, aussi était-il le moins menacé du groupe. Sebastian, avec son nez de sable, affirmait ne pas sentir grand-chose, mais Peggy Sue le forçait à garder son masque car elle se méfiait de la forfanterie naturelle des garçons qui veulent toujours passer pour plus forts qu'ils ne sont en réalité.

— Les gens gris nous tournent autour, annonça le jeune homme un beau matin. Ils ont deviné que nous préparons quelque chose. J'ai dû en chasser trois qui rôdaient autour de la camionnette. Il va falloir monter la garde vingt-quatre heures sur vingt-quatre. Ce serait facile pour eux de mettre le feu au laboratoire.

— C'est vrai, approuva Peggy. Il leur suffirait de

modeler un chat de flammes et de lui ordonner de se glisser sous le camion. Ils ont ce pouvoir.

— Je sais, dit sombrement Sebastian. Tu me l'as expliqué.

Enfin, Granny Katy annonça qu'elle avait terminé. Une fois le liquide du chaudron évaporé, elle récupéra la poudre rose qui stagnait au fond du récipient et en remplit trois boîtes en carton.

— Voilà, expliqua-t-elle. A présent, il convient de se lancer à la poursuite du dragon. Quand nous l'aurons trouvé, vous devrez lui expédier l'une de ces boîtes dans le museau, au moyen d'une fronde ou d'un lance-pierres. L'emballage crèvera en heurtant son nez et la poudre lui entrera dans les narines. Si la formule fonctionne, il éternuera pendant un an, six heures et douze minutes.

Peggy Sue et Sebastian contemplaient les boîtes grises alignées sur le sol. Elles avaient la taille d'une orange.

— En attendant de rencontrer le dragon, nous les mettrons à l'abri dans un coffre d'acier, déclara la vieille dame, car elles sont fragiles et pourraient s'écraser au moindre faux mouvement. Vous savez ce qui se passerait alors... Aucun mortel ne pourrait supporter un tel éternuement sans se disloquer de partout. Votre nez s'envolerait, vos oreilles tomberaient, vos...

— OK, OK, coupa Sebastian, on sait tout ça. Nous ferons attention. Promis.

*

A présent, pour pister le dragon, il fallait s'enfoncer toujours plus avant dans la zone incendiée. C'était impressionnant et fort dangereux car le camion conduit par Granny Katy se retrouvait parfois encadré par de véritables murailles de feu ronflant. La chaleur devenait atroce et Peggy Sue avait alors l'illusion d'être une dinde en train de rissoler. Le chien bleu tirait une langue aussi longue que sa fameuse cravate. Sebastian supportait mal ce « climat », il lui fallait sans cesse s'arroser à l'aide des bonbonnes d'eau pure que Peggy avait entreposées à l'arrière du véhicule.

— Bon sang! soupirait-il, je me dessèche... L'eau qui me compose n'arrête pas de s'évaporer. Si ça continue je vais tomber en poussière.

Enfin, au bout du troisième jour, on perçut l'écho d'un pas énorme qui faisait trembler le sol.

— Le dragon... haleta Peggy. On se rapproche de lui.

A travers le pare-brise, elle se mit à scruter les flammes environnantes. Il lui sembla qu'une silhouette gigantesque s'y déplaçait.

— On dirait une espèce de diplodocus, chuchotat-elle. Un dinosaure avec un long cou et une toute petite tête.

— Quelle idée d'amener sur la Terre une bête pareille! soupira Sebastian.

— Martine m'a raconté que le dragon amusait les vacanciers en faisant des nœuds avec son cou, expliqua Peggy Sue. Les touristes trouvaient ça à mourir de rire. Et puis un jour, la bestiole a écrasé les grilles entourant sa fosse et a quitté le zoo pour se promener en ville.

— Et les gens ont cessé de rigoler, compléta Sebastian.

— Taisez-vous! ordonna Granny Katy, le voilà!

Le dinosaure venait d'apparaître à un croisement. Il n'avait pas l'air méchant mais sa masse était effrayante. Sa tête, à peine plus grosse qu'un ballon de football, se balançait à vingt mètres au-dessus du sol. Des étincelles sortaient de sa gueule et de ses narines.

— Voilà la cible qu'il vous faudra toucher, annonça la vieille dame en désignant le crâne qui oscillait au sommet de l'interminable cou flexible.

— Bonjour la mission impossible! grogna Sebastian. Vous avez vu sa caboche? On dirait une olive collée au bout d'un tuyau d'arrosage! En plus, il bouge tout le temps.

— Et nous ne disposons que de trois paquets de poudre à éternuer... se lamenta Peggy Sue qui, elle aussi, mesurait l'ampleur de la difficulté.

Le dragon se promenait pesamment au milieu des maisons incendiées. De temps à autre, il toussait, et un long jet de feu giclait de sa bouche. Les flammes environnantes ne l'incommodaient pas, il les traversait en toute impunité.

— On ferait peut-être mieux de lui planter un pieu dans le cœur? hasarda Sebastian.

— Ça ne marchera pas, fit Granny Katy. Il n'est pas vivant. C'est une sorte de robot conçu par des extraterrestres. Je suis prête à parier que les blessures qu'on lui inflige cicatrisent en moins de trente secondes.

Sebastian fronça les sourcils. Il était fort, il se savait capable d'expédier un projectile à vingt mètres au-dessus du sol, mais la difficulté consistait à prévoir les mouvements de tête du dragon pour que le paquet de poudre à éternuer atterrisse *exactement* sur son nez !

— Suivons-le, décida Peggy. Ses pattes bougent lentement. Le camion pourra les éviter sans trop de peine.

— C'est vrai, confirma Katy. Il serait même possible de rouler sous son ventre, je ne pense pas que ça le gêne outre mesure. En fait, il n'a pas l'air agressif. Mais pourquoi le serait-il, puisqu'il n'a rien à craindre des humains et qu'il n'a aucun besoin de se nourrir ?

Alors que la vieille dame manœuvrait afin de rattraper le dinosaure, un cheval de flammes jaillit d'une maison incendiée pour lui couper la route. Nicki, le garçon gris aux cheveux argentés, le montait.

— Hé, vous ! cria-t-il. Vous n'avez rien à faire ici. Fichez le camp avant qu'il ne vous arrive des ennuis !

Katy Flanaghan eut beau accélérer, l'étalon de feu se maintint sans difficulté à la hauteur du véhicule. Chacune de ses foulées inscrivait des traces brûlantes sur la chaussée.

— Je vous aurai prévenus ! lança Nicki d'un ton menaçant. Il faudra vous décider à devenir gris... ou bien vous préparer à mourir.

Pour souligner ses paroles, il fit se cabrer sa monture. Les sabots de flammes du cheval magique battirent l'air, à quelques centimètres du pare-brise.

— Quel sale gamin! grogna Granny Katy.

D'un coup de volant, elle évita l'obstacle et se lança à la poursuite du dragon.

— J'ai bien peur qu'ils ne se mettent à nous poursuivre, murmura-t-elle en jetant un coup d'œil dans le rétroviseur.

En effet, les gens gris étaient en train de sortir des flammes un à un pour se rassembler au bord des trottoirs. Ils paraissaient hésiter sur la conduite à tenir. Quelques-uns étaient accompagnés d'un chat de flammes qui se frottait à leurs jambes.

— Il faut les prendre de vitesse, décida Sebastian. Dès que nous aurons dépassé le dragon, je sortirai avec les boîtes de poudre à éternuer.

Peggy hocha la tête. L'inquiétude la gagnait. Ils ne disposaient que de trois projectiles, si Sebastian ratait la cible, tout était perdu.

Katy conduisait le pied au plancher. Le camion se déplaçait parallèlement à la queue du diplodocus, tel un hamster courant le long d'un tuyau d'arrosage. Les pattes grossissaient. Grises, elles évoquaient les piles d'un pont en ciment. Il fallait se glisser entre elles pour passer sous le ventre de l'énorme bête. Peggy Sue serra les dents. La marche du dragon faisait trembler le sol et les tôles du camion.

— On se croirait sur la peau d'un tambour... gémit le chien bleu.

Le dinosaure ne dégageait aucune odeur, preuve qu'il n'était pas vivant. Par instants, son ventre raclait le toit du camion.

Granny Katy fit rugir son moteur. Le véhicule dépassa les pattes de devant et jaillit sous le nez du monstre qui n'y prêta aucune attention.

— Le feu qui sort de sa bouche lui brouille la vue, constata Sebastian. Il ne nous a pas encore repérés.

Peggy Sue tremblait à l'idée que le diplodocus puisse soudain vomir sur eux un torrent de flammes. Lentement, le camion gagnait du terrain. Il eut bientôt cent mètres d'avance sur la bête. C'était suffisant pour se préparer. Granny Katy freina tandis que Peggy Sue et Sebastian sautaient sur la chaussée.

— Que tout le monde mette son masque! ordonna la vieille dame.

Et, se tournant vers le chien bleu, elle lui fourra deux boules de cire dans les narines avant de le bâillonner à l'aide d'un tissu imprégné d'une substance magique imperméable aux odeurs.

Peggy Sue saisit la boîte métallique contenant les trois paquets de poudre à éternuer et tendit le premier projectile à Sebastian.

Immobiles au milieu de l'avenue bordée d'immeubles incendiés, les deux adolescents regardèrent le diplodocus venir à eux. Il avançait d'un pas lent, mais chaque fois qu'il posait le pied par terre, la secousse vous remuait trente-six boyaux à l'intérieur du ventre. Ça n'avait rien d'agréable.

— Ne serre pas trop les doigts sur la boîte, murmura Peggy à l'adresse de Sebastian, tu l'écraserais.

— Je ne sais pas si je vais arriver à le toucher, haleta le garçon. Tu as vu comme il remue la tête ?

De temps en temps, le dragon allongeait le cou en direction d'un immeuble et lâchait un jet chuintant de flammes jaunes.

— S'il lui prend l'envie de nous viser, grogna Sebastian, nous sommes fichus.

— Il n'a pas été programmé pour s'en prendre aux humains, expliqua Peggy. Son travail, c'est de multiplier les brasiers pour favoriser la croissance des œufs. Normalement, il ne devrait même pas nous voir.

— Espérons-le, souffla le garçon.

Peggy Sue remarqua avec angoisse que Sebastian se desséchait vite dans la chaleur dégagée par les incendies. Elle courut au camion chercher un arrosoir avec lequel elle l'aspergea. Ce n'était pas le moment qu'il tombe en poussière !

A cet instant, elle repéra un groupe de serviteurs grisâtres se dirigeant vers eux. Nicki, monté sur son cheval de flammes, semblait les commander.

— Oh ! non... gémit-elle, ils vont nous attaquer, c'est certain ! Il faut passer à l'action avant qu'ils n'arrivent jusqu'ici !

Sebastian prit son élan, banda ses muscles, et, utilisant toute la puissance de son corps inhumain, expédia la boîte de poudre à éternuer à la tête du dragon. Le projectile fendit l'air en sifflant. Hélas, il ricocha sur l'arcade sourcilière du diplodocus, passa par-dessus sa tête, rebondit sur son dos, et roula vers sa queue, loin derrière lui.

— Raté! gronda le jeune homme. Vite, le deuxième...

Les gens gris se rapprochaient. Ils seraient là dans deux minutes.

— Attends! cria Peggy. J'ai une idée. Lance le paquet sur eux!

— Quoi? protesta Sebastian. Tu es folle! On ne peut pas se permettre de gâcher nos cartouches.

— Si Nicki nous tombe dessus avec tous ses copains nous sommes fichus, coupa l'adolescente. Il faut gagner du temps, sinon ils nous captureront pour nous jeter dans le feu. Ils sont trop nombreux pour que nous puissions leur résister. Si nous tentons de fuir, le cheval de flammes rattrapera le camion sans difficulté. Il n'y a pas d'autre solution, fais ce que je te dis. C'est notre dernière chance!

Sebastian se tourna vers les assaillants; il hésitait encore. Là-bas, Nicki éperonnait sa monture. Les gens gris qui l'accompagnaient s'étaient mis à courir.

— Vas-y! supplia Peggy Sue.

Cette fois, Sebastian obéit. Détendant le bras, il lança le projectile en direction des attaquants. La boîte de carton roula sous les pieds des hommes gris qui l'écrasèrent sans y prendre garde. La poudre magique se répandit dans l'air, les enveloppant d'un nuage rosâtre.

Alors il se passa quelque chose d'incroyable. Tous se mirent à éternuer, et, à chaque « Atchoum! » des nez se détachaient des visages, des oreilles tombaient sous la violence de la secousse. Nicki vit ses doigts et ses orteils s'éparpiller sur le sol comme une multitude de petites saucisses grises. La surprise lui fit perdre l'équilibre et il tomba de cheval. Ses compagnons se déplaçaient à quatre pattes, en une mêlée furieuse, chacun essayant de retrouver ce qui lui appartenait. On se battait pour un nez, une oreille... Ceux qui n'avaient plus de doigts s'évertuaient à ramasser les débris avec leurs dents.

— C'est le mien! criaient-ils, rendez-moi mon nez! Je vous dis qu'il est à moi!

— Parfait! soupira Peggy Sue, ça va les occuper un moment. A toi de jouer!

Sebastian s'empara du dernier projectile. Le dragon se rapprochait dangereusement.

— Il remue toujours la tête! se plaignit-il. Je ne pourrai jamais ajuster mon tir. Il faudrait qu'il se tienne tranquille pendant cinq secondes, ça suffirait.

— Nous allons attirer son attention, décida Peggy. Je vais hisser le chien bleu sur le toit du camion, peut-être qu'en aboyant...

Sans prendre le temps de finir sa phrase, elle courut au véhicule. Le temps pressait. A chaque nouvelle foulée, le dinosaure s'approchait d'une dizaine de mètres.

— J'ai compris, dit le chien. Je vais aboyer de toutes mes forces et gesticuler comme un diable. Cela éveillera peut-être sa curiosité.

— Ne prends pas trop de risques, supplia Peggy. Si tu le vois ouvrir la gueule pour cracher un jet de feu, saute par terre et cache-toi sous le camion.

— D'accord!

Tremblante, la jeune fille hissa le petit animal sur le toit du véhicule.

Dès qu'il fut en position, le chien bleu se lança dans une sarabande infernale en aboyant comme un démon. Le subterfuge fonctionna. Le diplodocus cessa de balancer la tête à droite et à gauche pour tendre le cou en direction du véhicule. Sans doute cherchait-il à analyser ce brusque changement de situation, car il n'avait nullement l'habitude de voir de semblables individus se dresser en travers de son chemin. Pendant cinq secondes son cou demeura immobile, incliné à 30°, et le feu cessa de lui sortir de la gueule.

— *A toi!* cria Peggy Sue à l'adresse de Sebastian.

Le garçon ramena le bras droit en arrière, à la façon d'un lanceur de poids, et projeta le dernier projectile à la face du monstre. Cette fois, il fit mouche. Le paquet explosa sur le nez de la bête qui commit l'erreur de renifler...

La seconde d'après, la tempête se déchaîna.

Un frémissement incontrôlable agita le cou du dragon tandis que ses yeux se fermaient, puis un éternuement apocalyptique retentit. Le souffle qui s'échappa de ses narines fit reculer le camion de trente mètres. Peggy Sue, qui se tenait blottie derrière le véhicule, faillit passer sous les roues.

Quand la tourmente cessa, l'adolescente s'aperçut avec horreur que le chien bleu avait disparu.

Le chien volant

Très inquiète, Peggy Sue regarda autour d'elle. Peut-être le souffle du dragon avait-il expédié le petit animal à l'autre bout de la rue? Mais non, il n'y avait rien!

— Mettons-nous à l'abri, cria Sebastian, le dinosaure va nous passer dessus!

En effet, l'énorme bête poursuivait son chemin entre les immeubles incendiés. Sa patte avant gauche frôla le camion, manquant de l'aplatir. Pendant trente secondes, Peggy Sue crut qu'ils allaient tous être écrabouillés. Le ventre du diplodocus râpa le toit du véhicule, puis le monstre s'éloigna. Il continuait à éternuer, mais la tempête jaillissant de ses narines semblait n'avoir aucune action sur les flammes.

— Bon sang! jura Sebastian, c'est raté. Ses éternuements n'éteignent pas les incendies. On dirait même qu'ils attisent le brasier, comme le ferait un soufflet.

Peggy dut s'avouer qu'il avait raison. L'opération se soldait par un échec. Les atchoums du dragon provoquaient une espèce de gonflement des flammes qui triplaient de volume, ce qui était tout le contraire de ce qu'elle avait espéré.

— Wao ! hoqueta tout à coup le garçon, regarde un peu là-haut !

De l'index, il désignait quelque chose au-dessus de la tête de Peggy Sue. L'adolescente leva les yeux, et faillit s'étrangler de surprise.

Le chien bleu flottait dans les airs... A trente mètres au-dessus du sol. Il avait l'aspect d'un énorme ballon de baudruche, ou plutôt d'un ballon dirigeable !

— Il... Il a encaissé de plein fouet le souffle du dragon ! bredouilla la jeune fille. Un souffle magique qui distend les choses et les rend plus légères que l'air.

— Incroyable, murmura Sebastian. Il doit maintenant mesurer dix mètres, du museau à la pointe de la queue. Et... Et sa peau est presque transparente. On dirait une saucisse gigantesque. Une saucisse volante !

Peggy Sue était horrifiée par la tournure des événements.

Elle se dépêcha d'expédier un message mental au pauvre animal.

— Est-ce que tu souffres ? lui demanda-t-elle.

— Non, répondit le chien bleu de la même façon. Je suis engourdi. Je me sens incroyablement léger. J'ai l'impression de peser dix grammes. D'où je suis, je vois toute la ville. Faites attention : les gens gris sont en train de vous encercler. Ils arrivent de partout. Grimpez dans le camion et fichez le camp!

— Je ne t'abandonnerai pas! protesta Peggy.

— Je flotte bien trop haut, répondit l'animal, tu ne pourras pas m'atteindre. Pars, vite. Les hommes gris seront là dans trois minutes.

Granny Katy et Sebastian avaient eux aussi capté la conversation télépathique. Ils s'empressèrent de scruter les rues avoisinantes.

— Il a raison, cria le garçon. Il en sort de tous les côtés! Ils ont amené des chats de flammes. *Je vois même un lion!* Quand il rugit, des étincelles lui sortent de la gueule. Bon sang! Nous sommes mal, très mal!

— Grimpez dans le camion, ordonna la vieille dame. Il faut partir. Cette fois nous ne pouvons plus les bombarder de poudre à éternuer.

Peggy Sue obéit à regret. Il lui était insupportable d'abandonner son fidèle compagnon à quatre pattes. Elle échafaudait déjà mille subterfuges pour lui faire retrouver son aspect normal. Il était hors de question qu'il reste ainsi, déguisé en baleine transparente.

Sebastian la poussa dans le véhicule. Granny Katy démarra. Le vieux camion zigzagua un moment entre les empreintes de pattes creusées dans la chaussée par le dragon éternueur, mais il fallut bientôt se rendre à l'évidence : la retraite était coupée. Une escouade d'hommes gris montés sur des chevaux de flammes barrait l'avenue. Katy Flanaghan freina.

— Si je force le barrage, la camionnette prendra feu, balbutia-t-elle. Ils vont jeter leurs montures sur nous.

— Reculez! lança Sebastian. Partons en sens inverse.

— Trop tard, annonça Peggy. Ils sont déjà derrière nous. Regarde : ils nous coupent la retraite.

Des dizaines et des dizaines de créatures grises émergeaient à présent des rues avoisinantes. Elles poussaient devant elles des troupeaux d'animaux fantastiques modelés avec des flammes. Des chats, mais aussi des tigres, des lions...

Peggy Sue frissonna. « Ils vont lâcher ces bêtes sur nous, pensa-t-elle. Et nous prendrons feu au premier coup de patte. »

Granny Katy tournait en rond, essayant de dénicher une rue encore accessible. Hélas, l'armée grise arrivait de partout à la fois. Les animaux avançaient lentement pour ne pas perdre leurs formes.

« S'ils bougeaient vite, ils se désagrégeraient, supposa l'adolescente. Cela nous donne un léger sursis. »

Granny Katy commençait à s'affoler. Le moteur du camion, maltraité par les accélérations trop brutales, donnait des signes d'épuisement.

Comble de malchance, la roue avant droite s'enfonça dans l'une des empreintes creusées par le dragon et l'essieu se brisa.

— Cette fois c'est la fin! souffla Sebastian. Je ne vois pas ce qu'on pourrait tenter.

— Grimpons sur le toit, proposa Peggy, nous serons moins exposés.

Elle avait proposé cela d'une voix tremblante car elle ne se faisait aucune illusion, les lions n'auraient aucun mal à bondir sur le capot.

— Mes pauvres petits, gémit Katy Flanaghan, je n'ai pas la moindre idée... Toute ma sorcellerie est sans effet sur ces gens-là.

Peggy n'écoutait pas. Elle ne pouvait détacher les yeux des lions qui rugissaient en crachant des milliers d'étincelles. Leur crinière de flammes était d'une incroyable beauté.

Brusquement, alors qu'ils se préparaient tous à mourir, la sirène des pompiers retentit. D'une rue perpendiculaire, une voiture rouge surmontée d'une grande échelle surgit. Elle était conduite par Thomas Langley. Martine, sa fille, était assise à côté de lui. Le capitaine roulait le pied au plancher pour forcer le barrage formé par les gens gris. Les grosses roues du véhicule écrasaient les animaux de flammes qui s'y cramponnaient, essayant de mettre le feu au caoutchouc des pneus. Tout l'arrière de l'auto-pompe brûlait déjà. A certains endroits, le métal du châssis fondait. Martine, dans un réflexe bien inutile, s'obstinait à asperger le feu de neige carbonique. Pauvre tentative qui, bien sûr, demeurait sans effet sur le brasier.

Le capitaine manœuvra pour ranger le camion rouge à côté du véhicule de Granny Katy.

— Vite, cria-t-il. On n'a pas une minute à perdre ! J'étais sur le toit de la caserne, j'ai vu ce qui se passait. Il n'y a plus qu'une chose à faire : utiliser la grande échelle pour essayer de monter sur le chien volant. C'est notre seule chance de salut.

Granny Katy glissa le crapaud péteur dans sa poche et donna l'exemple en se hissant sur l'auto-pompe. Les pneus qui fondaient répandaient une odeur pestilentielle.

Peggy Sue entendit des cris s'élever de la foule des hommes gris.

« Ils excitent les fauves! comprit-elle. Dans une minute ce sera l'assaut final. »

Thomas Langley avait enclenché le mécanisme permettant de déployer la grande échelle. Les éléments d'acier qui la constituaient coulissaient lentement les uns sur les autres.

— Vite! Vite! grimpez, ordonna-t-il. Les bêtes se rapprochent!

Granny Katy, Martine, Sebastian et Peggy Sue s'élancèrent. La peur de l'embrasement leur faisait oublier le vertige.

« Les flammes sont lentes, constata Peggy, mais leur chaleur est incroyable. L'autopompe est en train de fondre. Pourvu que leur chaleur ne se communique pas aux barreaux de l'échelle! »

Section par section, celle-ci se déployait en direction du ciel avec un crissement métallique continu. Tout le monde grimpait en s'appliquant à ne pas regarder en bas.

La voix mentale du chien bleu se mit à grésiller dans la tête de Peggy Sue.

« Je vous vois, disait-elle. Je comprends ce que vous essayez de faire. Je vais me diriger vers vous.

— C'est possible? s'étonna l'adolescente.

— Je crois, répondit l'animal. Le vent souffle, je peux utiliser mes oreilles et ma queue comme des gouvernails. Je vais me laisser porter dans votre direction. Si le vent ne change pas, je devrais pouvoir m'approcher du bout de l'échelle. Courage! J'arrive!»

Peggy se dit, dans le secret de son âme, qu'elle adorait le chien bleu. Il avait beau arriver n'importe quoi, le petit animal ne se laissait jamais impressionner, c'était le partenaire idéal pour une vie d'aventures.

Les mains crochées aux barreaux, elle s'éleva encore de trois mètres. Le vent faisait bouger l'échelle. Une impression assez horrible, en vérité! Un peu comme d'être perchée au sommet d'un arbre que des bûcherons abattent à coups de hache.

Des chocs métalliques se propageant le long des montants, Peggy comprit que le capitaine venait, à son tour, de se lancer dans l'escalade. N'y tenant plus, elle regarda en bas, par-dessus son épaule. Elle sentit son estomac faire un nœud marin à l'intérieur de son ventre (quelque chose comme une *jambe de chien*, en plus compliqué).

Les lions de flammes étaient en train de prendre l'autopompe d'assaut. Les tuyaux, les casques, les vestes de pompier, tout prenait feu à leur contact.

« J'espère qu'ils ne vont pas se lancer à notre poursuite, pensa Peggy. Ce serait horrible s'ils se mettaient à grimper sur l'échelle. »

Elle tremblait de tous ses membres. Mais les bêtes avaient adopté une autre tactique. Elles entreprirent de se masser au bas de l'échelle, en troupeau compact. La tête levée, elles observaient les fuyards avec une lueur ironique dans les yeux.

— Que font-elles? demanda Peggy au capitaine. Pourquoi restent-elles allongées au lieu de nous poursuivre?

— Tu n'as pas compris? grogna le chef des pompiers. Les sales bêtes! Elles se concentrent pour chauffer l'échelle avec l'espoir de la rendre si brûlante que nous serons bientôt forcés de la lâcher... Elles attendent que nous tombions! Il faut essayer de passer sur le chien volant le plus vite possible.

Facile à dire! Plus on s'élevait, plus le vent faisait tanguer l'assemblage de métal. Par moments, Peggy Sue devait se cramponner de toutes ses forces pour ne pas lâcher prise.

Elle avait accompli la moitié du trajet quand elle sentit l'acier des barreaux se réchauffer sous ses doigts.

— Oh! non, gémit-elle mentalement. Les lions de feu sont en train de réussir leur coup. L'échelle devient brûlante!

— Courage! lança le chien bleu. Je me rapproche. Le vent est favorable. Tu devras faire très attention lorsque tu te hisseras sur mon dos, les rafales pourraient te déséquilibrer.

A présent, la sueur ruisselait sur le front de la jeune fille. Elle serrait les dents car l'échelle devenait affreusement chaude sous ses paumes. D'ici trois minutes, tenir les barreaux serait une véritable souffrance. Elle aurait voulu porter des gants, comme le capitaine Langley ou Martine. Sebastian n'éprouvait aucune sensation de brûlure, mais Granny Katy, elle, grimaçait de douleur.

— Que se passe-t-il? s'enquit le garçon en se retournant à demi.

Peggy Sue le lui expliqua.

— J'ai une idée, proposa Sebastian. Tu vas grimper sur mon dos et je te porterai jusqu'au som· met. L'acier brûlant ne me fera pas de mal puisque je ne le sentirai pas.

— D'accord, capitula l'adolescente qui souffrait trop.

Les bourrasques rendirent la manœuvre difficile, mais elle réussit tout de même à se hisser sur le dos du jeune homme. Ses paumes étaient toutes cloquées et lui faisaient mal.

« C'est terrible, songea-t-elle, Granny Katy doit horriblement souffrir! »

Il n'y avait malheureusement rien à faire, car sa grand-mère occupait la première place sur l'échelle. Quant à Martine, qui venait juste après, elle n'était pas assez forte pour porter la vieille dame sur ses épaules.

Alors qu'ils abordaient le dernier tronçon, Peggy remarqua quelque chose d'alarmant. *De la vapeur s'élevait des mains de Sebastian...*

— Oh! non! gémit-elle. Tu as vu? L'acier devient trop chaud. L'eau de ton corps est en train de s'évaporer. Tes mains vont se dessécher et se changer en sable.

— C'est vrai! hoqueta le jeune homme. Tu as raison. Si elles tombent en poussière je ne pourrai plus attraper les barreaux et nous basculerons dans le vide. Descend de mon dos, vite. Je ne veux pas t'entraîner dans ma chute.

— Non! protesta Peggy. Si tu dois tomber, je préfère tomber avec toi!

— Ça y est! claironna soudain la voix du chien bleu. Je suis arrivé au sommet de l'échelle. Dépêchez-vous, j'ai du mal à rester immobile. Le vent a tendance à m'emporter plus loin.

Peggy Sue distinguait mal ce qui se passait au-dessus d'elle. Elle tremblait à l'idée que les doigts de Sebastian puissent s'effriter.

— Attends! lança-t-elle, on va inverser. C'est moi qui vais te porter, comme ça tu n'auras plus à toucher les barreaux.

— Je suis beaucoup trop lourd, protesta le garçon. Tu n'y arriveras pas.

— On verra bien, haleta l'adolescente en déchirant son t-shirt pour se fabriquer des gants de fortune.

Grimpant sur le dos de Sebastian, elle se hissa trois barreaux plus haut. Le métal était vraiment très chaud à présent, il lui cuisait les paumes à travers les chiffons.

— A ton tour, cria-t-elle à son ami. Cramponne-toi à mes épaules. Ne touche plus à l'échelle.

Elle eut l'impression qu'on lui accrochait un sac de sable sur les omoplates et laissa échapper un gémissement. Sebastian pesait son poids!

Bandant ses muscles, elle poursuivit l'escalade. La chaleur lui coupait le souffle. Dans cette atmosphère torride, Sebastian ne pourrait pas conserver sa forme humaine bien longtemps. Il lui faudrait de l'eau, sinon il commencerait à s'effriter et le vent l'emporterait, l'éparpillant au hasard.

Là-haut, Granny Katy avait quitté l'échelle pour passer sur le dos du chien bleu. Martine l'y avait aidée. Les derniers mètres furent les plus difficiles car les bourrasques s'acharnaient sur l'échelle, la faisant osciller en tous sens.

— On y est! hoqueta Peggy en atteignant le dernier barreau.

Quand il fallut sauter dans le vide pour atterrir sur le dos du chien, elle connut une seconde de panique totale. Dès qu'elle fut sur l'échine de l'animal, elle se cramponna à ses poils pour éviter de glisser. Martine et Granny Katy l'attrapèrent par la ceinture de son jean. Sebastian vint les rejoindre.

Ébahie, Peggy constata que le chien bleu avait la taille d'une petite baleine. L'éternuement magique l'avait gonflé comme un ballon et rendu complètement transparent. On distinguait tous ses organes à travers sa peau. « C'est un peu beurk! » songea l'adolescente.

Elle n'osait pas bouger de peur de perdre l'équilibre et de tomber dans le vide. Granny Katy et Martine étaient très pâles.

Le capitaine Langley sauta enfin sur le dos de l'animal volant. En bas, les lions de flammes poussèrent un rugissement de colère en voyant leurs proies leur échapper.

— Tout le monde est là? s'enquit le chien bleu. Alors, cap au large! Ces flammes me rôtissent le ventre, j'ai l'impression d'être un cochon sur une broche.

Il dressa ses oreilles, bougea sa queue, et prit le vent pour s'envoler en direction du lac, loin des incendies.

Les naufragés du chien volant

Peggy Sue se cramponnait de toutes ses forces aux poils du chien bleu car elle avait le vertige. Au-dessous d'elle s'étendait un paysage de flammes jaunes et crépitantes qui semblaient vouloir s'étirer le plus possible pour rôtir le ventre de l'animal volant. Une odeur de crin brûlé flottait dans l'air. Lorsqu'elle jeta un coup d'œil en arrière, l'adolescente s'aperçut que l'échelle de pompiers, chauffée à blanc par la présence des lions de feu, était en train de se ramollir.

« Nous l'avons échappé belle, pensa-t-elle. Sans le chien bleu, nous étions fichus. »

Pendant un long moment, l'animal-ballon dériva au-dessus des maisons incendiées. La chaleur était insupportable. Par bonheur, la situation s'améliora dès qu'on arriva en vue du lac.

— Ça ne va pas, murmura Sebastian. Au rythme où je m'assèche, je vais tomber en poussière d'ici dix minutes. Il me faut de l'eau, très vite. Les flammes m'ont complètement déshydraté.

Hélas, personne n'avait emporté de gourde. La fuite s'était déroulée dans une telle confusion qu'on avait tout abandonné derrière soi.

— C'est terrible, gémit Peggy. Je voudrais t'aider, mais je ne sais pas quoi faire...

— Ce n'est pas ta faute, soupira Sebastian en la prenant dans ses bras.

Il s'excusa de ne pas pouvoir la serrer plus fort car il avait peur de s'émietter.

— Je dois prendre une décision, annonça-t-il. Sinon il sera trop tard. Je ne peux pas attendre que les bourrasques m'éparpillent aux quatre coins du paysage ; si cela se produisait, il te serait impossible de récupérer le sable qui compose mon corps. Je vais tenter quelque chose.

— Quoi ? interrogea Peggy Sue en se raidissant car elle devinait que la solution choisie par le garçon ne serait guère agréable.

— Je vais sauter dans le lac, dit Sebastian.

— Mais nous sommes à plus de cent mètres au-dessus de l'eau ! hoqueta l'adolescente. Tu vas te tuer.

— Non, un humain s'écraserait à la surface, c'est vrai, admit le jeune homme. Ce serait comme s'il percutait une dalle de béton, mais justement : *je ne suis pas humain*. Je dois en profiter. Dès que je toucherai l'eau, mon corps se reconstituera. Je nagerai jusqu'à la rive et je me débrouillerai pour te retrouver, où que tu sois.

Les larmes se mirent à couler sur les joues de Peggy. Elle essaya cependant de ne pas céder à la pleurnicherie. Sebastian avait raison, sa solution était la seule raisonnable.

— Ce sera dangereux, chuchota-t-elle. Rappelle-toi que le lac est plein de reptilons. S'ils te mordent, cette fois-ci je ne serai pas là pour te cacher dans un coffre.

Ils échangèrent un baiser. Comme chaque fois que le garçon se desséchait, ses lèvres avaient un goût de poussière.

— Je dois y aller, fit-il en se redressant.

Peggy scruta les nuages. Ah ! si seulement il avait pu pleuvoir. Une bonne grosse averse qui les aurait tous trempés de la tête aux pieds.

On survolait le lac. En dépit de la brume, on distinguait les baleines immobiles.

— C'est bon, décida Sebastian. Je vais sauter avant d'être trop loin de la rive. A bientôt.

Et il ajouta, à voix basse : « Je t'aime. »

Après avoir esquissé un petit signe de la main, il bondit dans le vide, les jambes serrées et les bras le long du corps pour offrir le moins de prise possible au frottement de l'air. Il tomba comme une pierre. Étouffant un gémissement de frayeur, Peggy le vit disparaître dans le nuage de brouillard couvrant le lac. Elle tendit l'oreille dans l'espoir de capter un appel, mais ils volaient trop haut. A cette distance, même les émissions télépathiques passaient mal.

— Ne t'inquiète pas, lui dit le chien bleu. C'est un grand garçon, il sait ce qu'il fait. Il se débrouillera pour nous rejoindre.

— Mais s'il avait explosé en touchant l'eau? fit Peggy Sue. Il était déjà très friable...

— Cesse de te torturer, coupa l'animal. Je suis certain que tout s'est bien passé. Applique-toi plutôt à rester sur mon dos, et dis aux autres de cesser de gesticuler, ça me déséquilibre, et si je bascule sur le flanc, vous passerez tous par-dessus bord.

*

Essayant de surmonter la tristesse dans laquelle l'avait plongée le départ de Sebastian, Peggy Sue se rapprocha des autres naufragés. Après s'être concertés quelques minutes, ils furent forcés d'admettre que la situation n'était guère brillante.

— Nous ne savons pas combien de temps le chien bleu va voler ainsi, décréta Granny Katy. Il est possible qu'il conserve cette forme jusqu'à la fin des temps. Je ne me risquerai pas à émettre des pronostics sur les pouvoirs des éternuements d'un dragon extraterrestre. Je ne suis pas davantage en mesure d'y remédier. D'ailleurs, tout mon laboratoire est resté dans le camion.

— Vous pensez donc que nous sommes prisonniers de cet animal volant? s'enquit le capitaine.

— C'est possible, avoua Katy Flanaghan. Le problème est simple : le chien bleu va-t-il dégonfler et reprendre sa taille normale? Et s'il dégonfle, la chose se produira-t-elle de manière progressive, ce qui nous permettrait de nous rapprocher doucement du sol... ou bien l'enchantement cessera-t-il d'un coup? Si cela arrivait, nous tomberions tous comme des pierres.

— Étant donné que nous volons à cent mètres du sol, cela ne nous laisse aucun espoir de survie, grommela le père de Martine.

— Et si le chien ne dégonfle pas? pleurnicha Martine. S'il reste comme ça pour l'éternité. Comment allons-nous survivre? Il faudra boire, manger...

« Elle a raison, songea Peggy Sue. Nous ne disposons d'aucune réserve. Pas davantage en nourriture qu'en eau potable. Combien de temps pourrons-nous tenir ainsi? »

Le silence s'installa. Granny Katy sortit le crapaud péteur de sa poche et commença à le caresser.

— C'est souverain contre les brûlures, expliqua-t-elle. Ses pustules sécrètent un liquide magique qui guérit les affections de la peau.

Entre ses mains, l'horrible bestiole ronronnait comme un chaton. Au bout de trois minutes, la vieille dame montra ses paumes à ses compagnons. Les cloques avaient disparu.

— A ton tour, Peggy, ordonna-t-elle en tendant le crapaud à sa petite-fille. Débarrasse-toi des chiffons entortillés autour de tes mains et caresse le crapaud. Toutes les brûlures contractées au cours de l'escalade s'envoleront comme par... magie !

L'adolescente obéit. Le crapaud se nicha entre ses paumes et reprit son ronronnement. On eût dit un jouet de caoutchouc. Un jouet, dont le cœur battait sur un rythme extraordinairement lent.

*

Deux heures s'écoulèrent ainsi, à dériver au gré des bourrasques qui ballottaient le chien bleu à droite et à gauche. Tantôt l'on se dirigeait vers la terre, tantôt l'on repartait en direction du lac. Peggy Sue commençait à croire qu'on n'arriverait jamais nulle part. Elle pensait tellement à Sebastian qu'elle ne souffrait même plus du vertige, et pourtant les brusques embardées de l'animal volant avaient de quoi soulever le cœur des plus endurcis.

— Hé! dit soudain le chien bleu, je crève de soif, moi aussi. Si je ne peux pas laper un peu d'eau dans l'heure qui vient, je vais me trouver mal.

— Mon pauvre ami, soupira Peggy. De l'eau, il y en a plein le lac, essaye de descendre.

— Je ne peux pas, gémit l'animal. Je n'ai aucun contrôle sur l'altitude de mes déplacements. Aller à droite ou à gauche, ça c'est possible, mais en haut ou en bas, j'en suis incapable. Pour descendre, il faudrait que je dégonfle.

Peggy Sue hocha la tête, décidément, tout allait de travers!

Elle s'assit du mieux qu'elle put sur le dos de son fidèle compagnon dont le poil lui piquait les cuisses. Contrairement à ce qu'elle imaginait lorsqu'elle était petite, à la lecture des contes de fées, ce n'était pas agréable de voyager à travers le ciel à cheval sur une bête volante. On avait tout le temps peur de perdre l'équilibre et de tomber dans le vide. Derrière elle, les autres passagers ne semblaient guère plus rassurés. En outre, le vent lui irritait les yeux et la faisait pleurer.

— Il va peut-être pleuvoir, annonça-t-elle. Là-bas, il y a de gros nuages noirs. Dirige-toi vers eux. Tu n'auras qu'à tirer la langue sous l'averse pour te désaltérer.

Aussitôt, le chien bleu inclina ses oreilles pour filer dans la direction indiquée.

Se cramponnant à ses poils, Peggy Sue se pencha afin d'observer ce qui se passait au niveau du sol. Le dragon trottinait à travers les rues, au milieu des incendies. Il continuait à éternuer, mais ses atchoums n'avaient aucun effet sur les flammes. Quand le souffle jaillissant de ses narines touchait un objet quelconque, cet objet gonflait instantanément, comme un ballon, et s'élevait dans les airs. Plusieurs voitures flottaient déjà ici et là. Boursouflées et translucides, elles semblaient prêtes à éclater à la première piqûre.

« J'ai vraiment eu tout faux avec cette histoire de poudre à éternuer, songea Peggy, mortifiée. Dans un roman d'aventures, ça aurait marché! Mais voilà, nous ne sommes pas dans un roman... »

Elle s'ennuyait un peu... et mourait de faim.

— Est-ce qu'on ne pourrait pas manger le crapaud? proposa soudain le capitaine Langley.

Tout le monde protesta. Martine parce qu'elle trouvait la chose dégoûtante, Peggy et Granny Katy parce qu'elles aimaient bien le crapaud péteur auquel elles avaient fini par s'habituer l'une et l'autre.

« C'est vrai qu'il ne dit pas grand-chose et qu'il sent très mauvais, se dit Peggy Sue, mais c'est une bête inoffensive qui n'hésite pas à rendre service quand on le lui demande gentiment. »

Elle tressaillit car un oiseau venait de la frôler. Des dizaines de volatiles s'étaient massés au-dessus du lac pour voler en cercle. Ils paraissaient de fort méchante humeur, sans doute parce qu'ils considéraient le chien bleu et les voitures volantes comme des intrus égarés sur leur territoire.

— Si on pouvait en attraper un et le manger, soupira rêveusement le capitaine.

— Le manger tout cru? protesta Martine, horrifiée.

Peggy Sue n'écouta pas la suite du dialogue. Le manège des oiseaux l'inquiétait. S'agissait-il de corbeaux ou de corneilles? Elle n'en savait rien, mais ils avaient *un très gros bec*, ça elle en était sûre!

« Je n'aime pas ça, lança-t-elle mentalement au chien bleu, tu penses la même chose que moi?

— Oui, fit l'animal. Depuis trois minutes je me fais l'impression d'un ballon de baudruche volant à proximité d'un cactus hérissé d'épines. »

— Hé! cria Peggy aux autres naufragés. Il ne faut pas que ces oiseaux s'approchent de nous. Poussez des cris et agitez les bras pour les effrayer dès qu'ils feront mine de s'intéresser au chien bleu.

— Pourquoi? s'étonna Martine.

Peggy n'eut pas besoin de lui répondre car, au même moment, les corbeaux s'abattirent sur l'une des voitures volantes et la lardèrent de coups de bec. L'auto explosa, comme un ballon dans lequel on enfonce une aiguille.

Un frisson d'épouvante parcourut l'échine du chien bleu et se transmit à ses passagers. Peggy Sue ôta son t-shirt en loques et le secoua au-dessus de sa tête en poussant des cris gutturaux. Les oiseaux passèrent au large, impressionnés par ce tohu-bohu.

Martine, son père et Granny Katy se dépêchèrent d'imiter Peggy. Le chien volant se retrouva aussitôt chevauché par quatre épouvantails humains qui vociféraient comme des diables. Les corbeaux hésitaient à attaquer. Finalement, ils préférèrent s'en aller piquer une autre voiture qui éclata elle aussi telle une bulle de savon.

— Éloigne-toi du lac, ordonna Peggy à son fidèle compagnon. C'est leur territoire. Ils ne cesseront pas de nous harceler tant que nous volerons dans ce périmètre.

— Je fais ce que je peux, gémit l'animal, mais c'est le vent qui décide, en définitive.

*

Durant l'heure qui suivit, tout le monde resta en alerte. Les oiseaux tentèrent une attaque en piqué. Il fallut les disperser à grands coups de vêtements. Cette bataille dura jusqu'au soir. Quand le soleil se coucha, les quatre naufragés étaient au bord de l'épuisement.

« Comment allons-nous pouvoir dormir sans risquer de basculer dans le vide? se demanda Peggy

Sue que la perspective de la nuit à venir effrayait. Nous n'avons pas de cordes pour nous attacher. »

— Vous avez bien conscience que nous ne pouvons pas continuer comme ça, grogna le capitaine Langley. C'est trop dangereux. Il faut atterrir au plus vite. Je propose que nous fassions un trou dans la peau de cet animal, pour le dégonfler. Au fur et à mesure qu'il deviendra plus petit, nous descendrons.

— C'est hors de question ! protesta Peggy. Vous avez déjà essayé d'enfoncer une épingle dans un ballon de baudruche pour qu'il « se dégonfle progressivement », comme vous dites si bien ? Je vais vous dire ce qui se passera si vous piquez votre couteau dans le dos de mon chien : il explosera, comme les voitures, tout à l'heure, et nous tomberons dans le vide.

— Ma petite-fille a raison, renchérit Granny Katy. Votre idée est stupide. Vous allez nous tuer si vous la mettez en pratique.

Le capitaine se renfrogna.

— C'est vous qui êtes idiote, gronda-t-il. Vous ne comprenez donc pas que nous sommes fichus si cette damnée bestiole ne se décide pas à se dégonfler rapidement ?

— Taisez-vous ! hurla Martine en se bouchant les oreilles, vous me rendez folle !

— Il faut garder espoir, lança Peggy Sue. Je suis persuadée que Sebastian travaille en ce moment même à nous délivrer. Il est en bas, il va trouver une solution. Il se manifestera demain matin, j'en ai la conviction.

— Peut-être, ricana le capitaine, mais à ce moment-là, nous serons tous déjà passés par-dessus bord.

— Ça suffit, coupa Katy Flanaghan. Nous allons nous organiser en équipes. Ceux qui resteront éveillés surveilleront ceux qui dorment. Nous ferons un roulement toutes les deux heures. Ça devrait marcher.

— Et moi, je continue à penser que vous êtes une vieille folle, grommela le capitaine.

L'arbre légendaire

Ce fut une nuit difficile. Peggy Sue se réveilla tous les quarts d'heure, persuadée qu'elle était en train de glisser dans le vide. De plus, elle avait soif et faim, comme tout le monde « à bord ».

Alors qu'elle montait la garde, veillant sur Granny Katy, son attention fut attirée par des points lumineux qui virevoltaient au-dessus du lac. Se tournant vers Martine, elle murmura :

— Hé! Tu as vu ça?

La grande fille au nez pointu tressaillit car elle était en train de se rendormir.

— Oh, fit-elle d'un ton maussade. Ce sont des lucioles... ou des étincelles emportées par le vent.

— Mais non, c'est beaucoup trop gros, observa Peggy. On dirait... des oiseaux!

Se cramponnant aux poils du chien bleu, elle se pencha autant que possible.

— Ça monte vers nous, souffla-t-elle. Je n'aime pas ça. J'ai l'impression que ça nous a pris en chasse.

Trois minutes plus tard, ses inquiétudes se confirmèrent. Les « lucioles » étaient en réalité des oiseaux de feu grossièrement modelés à partir d'une flamme prélevée dans un incendie. Ces volatiles, aux allures d'aigles maléfiques, battaient férocement des ailes pour s'élever dans les courants aériens.

— Ils sont à nos trousses, cria Peggy. On leur a donné pour mission d'incendier le chien bleu. Il faut leur échapper.

Elle tapa du poing sur le dos de l'animal pour le réveiller.

— Fais ton possible pour les distancer, lui lança-t-elle. Si ces rapaces nous rattrapent nous ne parviendrons pas à les repousser à coups de t-shirt. Ce ne sont pas des corbeaux !

Le chien déploya aussitôt ses oreilles pour prendre le vent. Peggy Sue et Martine surveillaient l'approche des oiseaux de flammes. Les créatures se déplaçaient gracieusement, brassant l'air avec des gestes de danseuse. C'était un grand plaisir de les regarder voler.

« Ça ferait un très beau spectacle, pensa Peggy. Un seul problème : si elles nous rejoignent, nous sommes fichus. »

Par bonheur, le chien bleu avait réussi à se positionner dans un courant rapide. La bourrasque l'entraînait comme une feuille morte, coupant la respiration aux passagers installés sur son dos.

— Les oiseaux perdent du terrain, constata Peggy. On dirait qu'ils ne disposent pas d'assez d'énergie pour nous suivre.

— C'est vrai, renchérit Martine. Regarde, leurs contours changent. Ils ressemblent de moins en moins à des aigles.

— Sans doute parce qu'ils sont animés par une magie élémentaire, supposa Peggy Sue. Il leur est impossible de conserver la forme qu'on leur a donnée plus d'une dizaine de minutes. Au-delà, ils redeviennent de simples flammes emportées par le vent, ils doivent même oublier la mission dont on les avait chargés.

Avec soulagement, elle regarda les animaux de feu se défaire et retomber vers le lac. Encore une fois, il s'en était fallu d'un cheveu qu'ils ne soient tous brûlés.

« N'empêche, se dit-elle, ça signifie que les gens gris tiennent vraiment à nous détruire. On dirait bel et bien qu'ils ont peur de nous. »

*

L'aube se leva enfin. Le chien bleu volait maintenant au-dessus de la campagne. Il faisait froid. Peggy Sue avait si faim qu'elle se sentait au bord de l'évanouissement.

« Si je n'avais pas peur d'avoir mal, songea-t-elle, je mangerais mon pied droit avec délice. »

Elle en était là de ses réflexions quand elle vit soudain un ballon rouge s'élever dans les airs, droit devant. Le ballon remorquait une interminable ficelle.

— Ça vient de Sebastian ! cria-t-elle, faisant sursauter tout le monde. Il nous envoie une corde. Attrapons-la.

— Je vais essayer de passer le plus près possible, dit le chien bleu. Ne la ratez pas car je ne pourrai pas faire de second passage. N'étant pas un avion, je suis tributaire des courants aériens, je vais là où ils me poussent.

Tout le monde tendit la main en direction du ballon rouge. Peggy parvint à saisir la mince ficelle qui lui entailla les doigts. Les autres se précipitèrent pour l'aider.

— Il y a quelque chose de lourd attaché au bout, constata le capitaine Langley. Sûrement une corde plus solide.

— Sebastian nous envoie une amarre, comprit Peggy Sue. Il va essayer de nous ramener au niveau du sol. Il faudra attacher ce filin autour du chien bleu.

Quand on eut hissé cent mètres de ficelle, la corde apparut. Thomas Langley, qui, dans le cadre de son métier était habitué aux acrobaties, entreprit de passer sous le ventre du chien volant de manière à former une boucle le ceinturant à mi-corps. Il effectua cette périlleuse mission cramponné aux poils de l'animal. Martine, persuadée que son père allait tomber, se cachait les yeux derrière ses paumes.

Le nœud fait, on attendit.

— Sebastian a beau être un hercule, murmura Peggy, il ne pourra pas nous ramener à la seule force de ses bras.

— Je crois que ce garçon est malin, grogna le pompier. A mon avis, il a dû se procurer un véhicule muni d'un treuil dans un garage abandonné. Il va lancer le moteur et attendre que la machine nous tire lentement au niveau du sol.

Deux minutes plus tard, le câble se tendit et le chien bleu poussa un jappement de surprise.

— On descend, annonça-t-il, ça me scie les reins, mais une chose est sûre : on perd de l'altitude.

La manœuvre promettait d'être lente et Peggy ne tenait plus en place. Au fur et à mesure qu'ils se rapprochaient de la terre, elle prenait conscience que leur vulnérabilité s'accroissait.

« A cette hauteur, songea-t-elle, les oiseaux de feu n'auraient aucun mal à nous atteindre. Pourvu que les gens gris n'aient pas l'idée de nous en dépêcher une escadrille ! »

— Le brouillard qui flotte sur le lac nous protège, lui souffla le chien bleu. Je pense qu'on ne peut pas nous voir de la ville.

Ils mirent vingt minutes pour toucher sol. A présent, Peggy distinguait les contours d'un gros camion de dépannage arrêté au milieu d'une clairière. Sebastian s'agitait sur la plate-forme arrière. Il leur fit signe de la main. De toute évidence, son plongeon dans le lac lui avait permis de recouvrer sa bonne santé. Le cœur de Peggy Sue sauta de joie. Elle avait eu tellement peur de ne jamais le revoir...

On frôla enfin la cime des arbres. Sebastian dressa une échelle contre le flanc du chien bleu pour permettre aux passagers de descendre. Peggy se jeta dans ses bras.

Après qu'ils eurent échangé un long baiser, Sebastian déclara :

— Vite, il ne faut pas rester à découvert, les

oiseaux de feu vous cherchent. Depuis hier ils survolent la ville. Ils ont bien failli m'avoir.

— As-tu de quoi manger ? s'enquit Martine.

— Oui, dans ce panier, à l'arrière du camion... Ne vous battez pas, il y en aura pour tout le monde.

On ne le laissa même pas finir sa phrase. Les naufragés se jetèrent sur les victuailles. Seule Peggy Sue pensa à nourrir le chien bleu. Mais la bouche de la malheureuse bête se révéla énorme en comparaison des pauvres morceaux de viande qu'elle y jeta

— J'espère que tu vas dégonfler très vite, murmura Peggy. Je suis désolée de ce qui t'est arrivé. C'est un peu ma faute.

— Mais non, la rassura l'animal. Il fallait bien tenter quelque chose.

— Écoutez tous ! lança Sebastian. Il convient de se dépêcher. Nos têtes sont mises à prix. Les gens gris sont sur nos traces. Je crois avoir trouvé une solution temporaire pour nous dissimuler à leurs yeux. Vous voyez ce chêne ? Nous allons nous y réfugier.

Un arbre gigantesque se dressait au centre de la clairière. Son aspect était si monstrueux qu'au premier abord on avait envie de prendre la fuite. Cela tenait principalement à ses racines : au lieu d'être enfouies dans la terre, comme c'est généralement le cas, elles serpentaient à la surface du sol tels les tentacules d'une pieuvre. Certains de ces tentacules étaient d'ailleurs noués autour d'une dizaine de reptilons qu'ils avaient étranglés sans pitié.

— N'ayez pas peur, lança Sebastian. Cet arbre est notre ami. C'est le plus ancien de la forêt, il a mille ans. Il possède la faculté de se déplacer sur ses racines, comme un crabe sur ses pattes. Cela lui permet de bouger tout le temps. Il n'aime pas beaucoup les reptilons. Ceux qui ont essayé de le mordre pour le faire exploser n'ont pas eu le loisir de planter leurs crocs dans son écorce, comme vous pouvez le voir.

Peggy Sue leva la tête pour contempler le feuillage de l'arbre géant.

— Acceptera-t-il de nous laisser grimper sur ses branches? demanda-t-elle.

— Oui, affirma Sebastian. De cette manière, les oiseaux de feu ne pourront pas nous localiser. Quant aux serpents, ils ne risqueront pas de nous piquer.

— J'ai entendu parler de cet arbre, dit Granny Katy. On raconte que toutes les légendes de la forêt sont écrites au dos de ses feuilles, et qu'il suffit de les effleurer pour que le vent se mette aussitôt à vous murmurer ces contes au creux de l'oreille.

— C'est vrai, confirma Sebastian. Mais il faut faire attention. Quand on commence à écouter ces légendes on n'a plus envie d'arrêter, et l'on finit par rester prisonnier de l'arbre, en oubliant la réalité Lorsque nous escaladerons les troncs, vous pourrez voir, assis sur les branches, beaucoup de vieilles personnes à cheveux blancs. Ce sont les prisonniers de l'arbre à légendes. *Ils ont grimpés là lorsqu'ils avaient onze ans et n'en sont jamais redescendus.* Ils se nourrissent exclusivement de bourgeons, et écoutent des histoires toute la journée. Rien n'existe plus pour eux que ces contes formidables. Faites bien attention de ne pas tomber dans le même piège.

Peggy Sue était impressionnée. Comme tous les adolescents qui adorent la lecture, elle était affamée de bonnes histoires et n'en avait jamais assez. Elle se demanda, avec inquiétude, si elle aurait la force de résister à la tentation.

— Nous allons attacher le chien bleu au pied de l'arbre, décida Sebastian. Le feuillage lui servira de camouflage.

Quand cela fut fait, tout le monde s'approcha de la base du chêne en enjambant les tentacules. Peggy Sue ne se sentait guère rassurée car les racines avaient un aspect effrayant.

— L'escalade est assez facile, déclara Sebastian, il y a beaucoup de branches basses. Prenez votre temps. Vous, les filles, passez en premier. Je vais rester en arrière, avec le capitaine, pour aider Granny Katy.

Peggy prit sa respiration et se lança à l'assaut de l'énorme tronc. Au fur et à mesure qu'elle s'élevait, une lumière verte l'enveloppait. C'était celle du jour, tamisée par le feuillage. Dès qu'elle atteignit les premières grosses branches, l'adolescente eut la surprise de découvrir des personnes âgées, à la longue chevelure grise, qui souriaient, assises à califourchon dans la ramure.

— Bonjour, leur lança-t-elle, je m'appelle Peggy Sue, mon chien est attaché au pied de l'arbre, mais il est très gentil, il n'aboiera pas.

Personne ne lui répondit. Les vieillards souriants semblaient *ailleurs*. Ils écoutaient le vent qui leur chuchotait un conte au creux de l'oreille.

Depuis combien de temps étaient-ils là ? Leurs vêtements avaient craqué, les laissant presque nus. Certains avaient de longues barbes blanches tombant jusqu'au nombril.

« Diable ! Diable ! songea Peggy. La prudence s'impose. »

Elle poursuivit son escalade, rencontrant d'autres amateurs d'histoires au regard de somnambule.

— Tu as vu les feuilles ? lui chuchota Martine. On dirait qu'il y a quelque chose d'écrit dessus.

Peggy Sue tendit le cou. Les grandes feuilles vertes de l'arbre magique étaient en effet couvertes d'une minuscule écriture indéchiffrable. Une écriture de lutin que personne ne savait plus lire aujourd'hui.

— Ce sont sans doute les légendes dont parlait Sebastian, murmura Peggy. Une légende par feuille... Il y en a tellement qu'on n'a pas assez d'une vie pour les entendre toutes.

— Voilà pourquoi ces gens ne sont jamais redescendus, gémit Martine. J'espère qu'il ne va pas nous arriver la même chose !

*

Tout le monde s'installa sur de grosses branches, à mi-hauteur. Peggy Sue et Sebastian se pelotonnèrent l'un contre l'autre dans un creux du tronc.

C'était agréable, mais l'adolescente ne pouvait détourner son regard du feuillage bruissant. Son compagnon s'en aperçut.

— Attention, chuchota-t-il, ne te laisse pas avoir. Cet arbre n'est pas inoffensif. Il veille jalousement sur ses trésors. Si tu grimpais encore, tu verrais des squelettes recroquevillés à la fourche des branches, et prisonniers des vrilles du lierre. Ce sont ceux de tous les malheureux qui n'ont jamais pu se résoudre à descendre. Ils étaient tellement sous le charme des contes murmurés par les feuilles qu'ils en ont oublié de manger.

— Sommes-nous en sécurité ici? demanda Peggy.

Sebastian haussa les épaules.

— C'est toujours mieux que de camper dans la forêt et d'être à la merci des hommes gris qui patrouillent pour nous retrouver. Ils n'oseront pas monter dans l'arbre. Celui-ci les en empêchera car il n'accueille que les amateurs de bonnes histoires. Si les gens gris essayent de passer outre, il déploiera ses racines pour les étrangler.

— Et les lions de feu... insista Peggy Sue. Ceux-là, il ne pourra pas leur tordre le cou.

— Les bêtes de flammes ne viendront pas jusqu'ici, assura le jeune homme. C'est trop loin de la ville. Quand les animaux de feu s'éloignent des incendies, ils perdent peu à peu la forme qu'on leur a donnée. Tu as vu ce qui s'est passé avec les oiseaux... Non, le vrai danger, ce sont les hommes gris qui fouillent les environs.

— L'arbre sera-t-il capable de les arrêter?

Sebastian ricana.

— Viens voir par là, dit-il en rampant sur la branche. Je vais te montrer quelque chose. Regarde en bas, tu vois les racines?

Peggy Sue plissa les yeux. Au ras du sol, les gros tentacules de bois faisaient des nœuds inquiétants. Certains de ces nœuds se serraient sur des reptilons morts... *mais aussi sur des squelettes humains.*

— Ce sont des hommes gris? s'enquit-elle.

— Mais non, fit Sebastian. Tu vois bien qu'ils sont là depuis très longtemps. Ce sont des squelettes d'écrivains.

— Quoi?

— Mais oui, ces types voulaient grimper dans l'arbre pour essayer de lui voler ses feuilles à histoires, comme ça, ils n'auraient pas eu à se casser la tête pour trouver des idées. Ils n'auraient eu qu'à copier, tu comprends?

— Oui, haleta Peggy, impressionnée. L'arbre ne s'est pas laissé faire.

— Il ne faut jamais arracher la moindre feuille, insista Sebastian. Les racines t'étrangleraient aussitôt. Beaucoup ont cette tentation. Ils se disent qu'ils emporteront la feuille chez eux et la poseront sur leur table de nuit pour qu'elle leur raconte des histoires, mais c'est une erreur. Une erreur mortelle.

— Alors, les feuilles ne tombent jamais, même en automne?

— Non, elles sont magiques, elles se moquent bien des saisons.

Peggy Sue hocha la tête, tout cela était assez fascinant, toutefois elle continuait à éprouver une certaine inquiétude à l'idée de s'attarder en un lieu où régnait la magie.

— Tu ne dois pas avoir peur, murmura Sebastian en l'attirant gentiment contre lui. L'arbre assurera notre protection. La seule contrainte, ce sera de ne pas succomber aux légendes chuchotées par les feuilles.

Peggy fit la grimace. C'était justement cela qui l'effrayait ! Elle n'était pas certaine de pouvoir résister à la tentation. Le feuillage qui bruissait autour d'elle semblait dire : « Hé ! Qu'attends-tu ? Nous avons des milliers de bonnes histoires à te raconter. Des histoires comme personne n'en a jamais inventé ! Viens ! Il te suffit de tendre la main et de toucher l'une ou l'autre des feuilles qui t'entourent. Viens ! Toute la mémoire de la forêt est emmagasinée ici. L'arbre est si vieux qu'il a tout vu des âges anciens. Les chevaliers, les fées, les magiciens, les elfes... Leurs vies sont inscrites au revers des feuilles, la sève a servi d'encre. L'arbre est un cerveau gorgé de souvenirs. Il est le livre vivant de la forêt. Viens... »

Peggy Sue s'ébroua. Non ! Il ne fallait pas céder à la tentation !

*

Bien qu'installée entre les bras de Sebastian, elle passa une mauvaise nuit. Elle rêva qu'elle se réveillait soudain pour découvrir qu'elle avait quatre-vingts ans... L'arbre l'avait piégée et elle avait passé toute sa vie à cheval sur une branche à écouter les contes de la forêt profonde!

Au matin, elle eut toutefois une bonne surprise : le chien bleu avait repris sa taille normale. Il grelottait de frayeur au milieu des racines monstrueuses qui gigotaient paresseusement sur le sol.

Peggy s'empressa d'aller le chercher.

— Je me demandais quand tu te déciderais à venir! grommela-t-il. C'est bien une idée de Sebastian, d'élire domicile dans un arbre ensorcelé!

Deux heures plus tard, ils durent faire amende honorable car les tentacules d'écorce mirent en fuite une patrouille d'hommes gris qui s'intéressaient d'un peu trop près au camion-treuil abandonné à proximité.

— Vous voyez! triompha Sebastian. Mon idée n'est pas aussi mauvaise que vous le prétendez. Maintenant accrochez-vous bien, car l'arbre va bouger. Il ne reste jamais longtemps au même endroit. Je vous préviens : ça va secouer!

En effet, l'arbre-sorcier se dressa soudain sur ses racines et entreprit de se déplacer à travers la forêt. Ses tentacules fonctionnaient comme les pattes d'un crabe. Martine eut très vite le mal de mer.

Peggy Sue prit tout à coup conscience que l'arbre les emportait loin du danger, loin d'Aqualia. La solution de facilité aurait consisté à se laisser ramener dans le monde normal par cette étrange monture.

« Nous pourrions descendre à la limite de la forêt, et retourner à nos occupations en décidant d'oublier ce qui se passe au bord du lac, songea-t-elle. Oui, ce serait bien commode, en vérité, mais voilà, ce n'est pas parce qu'on refuse d'envisager la menace qu'elle cesse pour autant d'exister. »

Quelqu'un devait mettre un terme au complot des Zêtans avant qu'ils n'envahissent la Terre. D'autant plus que leurs intentions ne semblaient guère pacifiques.

Elle fit part de ses réflexions à Sebastian et au chien bleu.

— Tu as raison, dit l'animal. Ça ne me plaît pas tellement d'y retourner, mais il va bien falloir se décider à en finir avec ces monstres.

— Exact, admit le garçon. De plus, nous n'avons aucune idée du nombre d'œufs apportés par les animaux du zoo extraterrestre. Si ça se trouve, il y en a plusieurs milliers.

D'un commun accord, ils décidèrent de retourner en ville pour mettre au point un plan de bataille.

— Nous nous déguiserons en hommes gris, décida Peggy Sue. Il suffira de se frotter le visage et les mains avec de la cendre, et de rouler nos vêtements dans la suie.

— Oui, approuva Sebastian. Et nous chargerons des hottes sur notre dos, comme si nous transportions des galets.

— Je me cacherai dans celle de Peggy, lança le chien bleu.

— OK, soupira la jeune fille. Alors il ne reste plus qu'à rassembler notre courage et à descendre de l'arbre-sorcier.

*

Ils firent comme ils avaient dit. Après s'être barbouillés en utilisant les cendres d'un feu de camp, ils tressèrent des hottes approximatives au moyen de branchages et les assujettirent sur leurs épaules. Martine, son père et Granny Katy demeurèrent perchés sur les branches. Le capitaine des pompiers désapprouvait cette expédition. Selon lui, il aurait été plus malin de gagner la ville voisine et de prévenir les autorités. Peggy Sue ne croyait guère à cette solution, car les gens du voisinage refuseraient sans aucun doute d'être mêlés à une histoire de sorcellerie. Quant à la présence des Zêtans, ils la nieraient tout bonnement.

Une fois le chien bleu caché à l'intérieur du panier, les deux adolescents se mirent en marche. Il leur fallut une bonne heure pour atteindre la ville. Comme ils étaient déguisés en hommes gris, les reptilons les laissèrent passer sans les importuner.

Peggy Sue eut une mauvaise surprise en pénétrant dans le quartier des incendies.

— Regarde ça ! souffla-t-elle à Sebastian. *Certains œufs ont éclos en notre absence...* Leurs occupants sont sortis des coquilles, ils sont là, au milieu des flammes.

De petites silhouettes étranges se dandinaient au cœur des brasiers. Des ombres qui n'avaient rien d'humain.

— On dirait des démons miniatures, haleta le garçon. Bon sang, ils savent qu'en restant à l'intérieur du feu, ils sont protégés de leurs ennemis. On ne peut rien contre eux. Ces maudites flammes les défendent mieux qu'une forteresse.

— C'est vrai, acquiesça pensivement Peggy. Mais je pense qu'il y a une autre raison... *Le feu les nourrit.*

— Quoi?

— Je crois qu'ils mangent les flammes pour grandir. Voilà pourquoi ils s'y sentent si bien. Le feu est un principe nourricier pour eux. Ils n'ont besoin de rien d'autre.

— Tu as raison, observa le chien bleu. Pour l'instant ce sont encore des poussins, mais lorsqu'ils auront digéré tous les incendies qui ravagent la ville, ils atteindront leur taille adulte... et nous rigolerons moins.

Peggy Sue fronça les sourcils pour essayer de mieux discerner les petites silhouettes difformes qui gambadaient au milieu des flammes. De curieux poussins, en vérité... Des poussins qui, une fois grands, pourraient bien ressembler à des monstres.

— Il faut élaborer un plan, dit Sebastian. Une contre-attaque, très rapidement. Sinon, nous serons vite dépassés par les événements.

— A mon avis, suggéra Peggy Sue, il n'y a qu'un moyen d'obtenir des renseignements. Entrons dans une maison de fumée, à la nuit tombante, et capturons le personnage bizarre qui se matérialise pour transformer les humains en hommes gris. Si quelqu'un sait quelque chose, c'est bien lui puisqu'il supervise toute la manœuvre d'invasion.

— Tu crois qu'il acceptera de parler ?

— Je n'en sais rien, mais je ne vois pas ce que nous pourrions faire d'autre.

— Comment parviendrons-nous à le capturer, s'il est fait de fumée ?

— Granny Katy trouvera une solution.

*

Ils se dépêchèrent de quitter la ville pour rejoindre l'arbre légendaire qui trottinait dans la forêt. Comme il était très grand, on n'avait pas de mal à le repérer, et cela même s'il changeait constamment de place. Les deux adolescents durent toutefois le « prendre en marche » car l'arbre ne fit pas mine de s'arrêter pour les laisser monter. Une fois à bord, ils se hissèrent sur la branche où Granny Katy avait élu domicile et lui exposèrent leur idée.

Après avoir longuement réfléchi, la vieille dame déclara :

— Même si cette créature est immatérielle, je pense qu'il est possible de l'emprisonner dans le vêtement de fumée qui l'enveloppe et lui donne forme. Cette forêt est remplie d'herbes magiques qui me permettront de fabriquer un liquide dont vous l'aspergerez. Aussitôt, la coquille de suie durcira comme une armure rouillée, et la chose qui l'habite ne pourra plus s'en échapper. Elle se retrouvera enfermée dans un corps aussi rigide que celui d'une statue.

Cela semblait un bon subterfuge. Peggy Sue, Sebastian et le chien bleu brûlaient de passer à l'action. Il était temps pour eux de marquer enfin des points. De plus, la jeune fille n'aimait guère l'aspect des petits diablotins qu'elle avait vu s'agiter au cœur des flammes. Elle craignait de les voir se changer bientôt en d'affreux prédateurs.

*

Granny Katy mit deux jours pour fabriquer un élixir capable de solidifier la fumée. Quand la préparation fut prête, elle remit un flacon à sa petite-fille en lui disant :

— L'action du produit se dissipera au bout d'une heure. Ne traînez pas. La bestiole que vous comptez interroger sera peut-être de fort méchante humeur lorsqu'elle récupérera sa liberté de mouvement.

Comme ils l'avaient fait précédemment, les deux adolescents se déguisèrent en hommes gris pour retourner dans le quartier des incendies. La lune était haute dans le ciel, mais les maisons en feu éclairaient la ville aussi bien que des centaines de projecteurs.

— Tu as vu ? chuchota Peggy en serrant la main du garçon. Les Zêtans ont encore grandi depuis notre dernier passage.

Sebastian grimaça en scrutant les silhouettes bizarres qui s'agitaient au cœur des brasiers.

— C'est vrai, haleta-t-il. Elles sont deux fois plus grandes. Bon sang! A l'âge adulte, ces bestioles doivent mesurer trois mètres!

— Elles grandissent au fur et à mesure qu'elles mangent les flammes des incendies, fit Peggy. Si nous n'éteignons pas ce feu, nous allons bientôt nous retrouver en face d'une horde de dinosaures intelligents, et nous passerons un mauvais quart d'heure.

— J'ai essayé de sonder leur esprit, annonça le chien bleu, mais les flammes font barrage, c'est comme un écran antiradar. Je ne peux pas les atteindre. Ils ont vraiment super bien préparé leur coup.

Il ne fallait pas trop tarder sous peine de se faire repérer. Peggy Sue craignait par-dessus tout de se retrouver face à face avec Nicki.

« Après l'histoire de la poudre à éternuer, il ne doit pas me porter dans son cœur », se dit-elle.

Ils entrèrent dans la maison de fumée où Peggy avait rencontré l'étrange créature au crâne conique, et gagnèrent la salle à manger encombrée de meubles fantômes.

— Vous allez voir, annonça-t-elle à ses amis. L'aspect du bonhomme ne correspond absolument pas à celui des Zêtans. Il a même l'air plutôt rigolo. Il s'agit sans doute d'une ruse pour rassurer les candidats à la métamorphose. En apercevant ce drôle de petit personnage, les gens se disent : « Oh! les

Zêtans, ce n'est que ça ! Pas de quoi en faire une histoire. »

— Comment procède-t-on ? s'enquit Sebastian.

— Allongeons-nous sur le sol et faisons semblant de dormir, dit Peggy Sue. La créature va aussitôt sortir du mur.

Ils se couchèrent devant la cheminée, au milieu des canapés et des fauteuils sculptés dans la fumée grise. Au bout d'un moment, l'une des cloisons se mit à bouillonner et le bonhomme au crâne conique se matérialisa, usant du nuage de suie pour prendre forme.

— Bonsoir, dit-il, je suis là pour vous expliquer les avantages qui seront les vôtres lorsque vous serez devenu un serviteur du feu. Tout d'abord, permettez-moi de vous dire que vous avez fait le bon choix en entrant ici...

Il récitait son texte tel un vendeur de voitures robotisé, en prenant des expressions comiques. De temps à autre, il agitait la troisième main qu'il avait sur le ventre. Peggy Sue déboucha le flacon de produit magique et se redressa en bâillant, comme si elle se réveillait.

— Hé ! s'écria le drôle de bonhomme, mais je te connais, toi...

Il n'eut pas le loisir d'en dire plus, Peggy lui avait jeté le contenu de la bouteille au visage. Avant que la créature n'ait eu le temps de disparaître, la fumée composant son corps avait durci, prenant l'aspect d'une armure de pierre.

— Je... je suis prisonnier ! hurla l'étrange personnage. Laissez-moi sortir... Que m'avez-vous fait ?

— Nous t'avons jeté un sort, dit Peggy Sue. Tu ne pourras pas quitter ce corps tant que je ne t'y autoriserai pas.

Elle mentait, mais la créature ne pouvait pas le deviner.

— Pourquoi vous acharner sur moi? gémit le bonhomme au crâne conique. Je ne suis qu'un messager. Un esprit inoffensif qui utilise la fumée pour prendre forme.

— Pas si inoffensif que ça, grommela Peggy. Tu transformes les humains en hommes gris. Tu les rends mauvais.

— Qu'y puis-je? se lamenta la créature. Je suis programmé pour ça. C'est mon travail. Je fais ce que m'ont ordonné de faire, il y a mille ans, mes maîtres les Zêtans.

— D'où sors-tu les pilules qui rendent les humains insensibles aux flammes? interrogea Sebastian.

— Je les matérialise, répondit l'être. Cela aussi, c'est mon travail. J'ai quelques petits pouvoirs magiques, rien de très important... Je dois visiter tour à tour les maisons de fumée pour y accueillir les candidats à la métamorphose, et les convaincre s'ils se montrent hésitants. Si vous me tenez enfermé dans cette carapace de suie, je ne pourrai plus assurer le service qu'on attend de moi et mes maîtres me puniront!

- Je te libérerai si tu réponds à nos questions, lança Peggy d'un ton autoritaire. Si tu refuses, tu resteras à jamais enfermé dans cette statue de fumée.

— Non, non, pas ça, supplia le bonhomme. Les Zêtans ne plaisantent pas avec la discipline.

— D'accord, coupa Sebastian. Alors dis-nous comment on peut se débarrasser des créatures qui grandissent en ce moment au cœur des flammes.

— C'est une question idiote, gloussa l'être. Vous ne pourrez rien tenter contre les Zêtans. Ils sont invulnérables. Vos armes seront sans effet sur eux.

— A quoi ressemblent-ils ? demanda Peggy Sue.

— A vos anciens dinosaures, en plus petits et en beaucoup plus intelligents. En fait, leurs capacités mentales dépassent les vôtres de très loin. Ils sont également fort versés en magie. Même la comète qui a ravagé leur planète n'est pas parvenue à les tuer, c'est vous dire ! Quand ils ont su qu'elle arrivait, ils ont utilisé leurs connaissances scientifiques pour rapetisser et se cacher au sein d'un œuf de pierre. Un œuf qui protégerait chaque occupant des variations climatiques engendrées par le passage de la comète.

— Nous savons tout ça, s'impatienta Sebastian. Dis-nous plutôt ce qu'ils feront une fois qu'ils seront devenus adultes.

— Ils... ils se nourrissent du feu magique, balbutia le bonhomme prisonnier de l'armure de fumée durcie. Peu à peu, les brasiers s'éteindront, mangés par les Zêtans. Alors vous les verrez sortir des décombres fumants. Ils auront l'aspect de cet animal préhistorique qui vous effraye tant : le tyrannosaure roi.

— Ils... ils vont nous dévorer ? bredouilla Peggy Sue.

— Mais non, fit l'être étrange. *Les Zêtans sont herbivores.* Petits, ils se nourrissent de flammes, mais une fois devenus adultes, ils ne mangent qu'une certaine variété de fleurs. C'est pour cette raison, d'ailleurs, qu'ils ont dû se changer en galets afin de survivre, lors de la grande catastrophe. La comète allait détruire toutes les fleurs et stériliser le sol. Les Zêtans n'auraient plus rien à se mettre sous la dent. Ils n'avaient plus le choix. Il leur fallait hiberner en attendant d'envahir une autre planète... ou se résoudre à mourir de faim.

— Ils... ils ne mangent pas de viande, tu en es certain ? insista Sebastian au comble du soulagement.

— Bien sûr ! claironna la créature. Manger de la chair les empoisonnerait. Leur organisme n'est pas prévu pour ça. Dès qu'ils seront sortis des flammes, les Zêtans commenceront à ensemencer les champs qui entourent la ville... la forêt aussi. Ils possèdent sur la face interne des bras des poches naturelles remplies de graines. A peine avalées les dernières étincelles nourricières des brasiers de l'enfance, ils sèmeront les fleurs nécessaires à leur survie. Il en faudra beaucoup pour satisfaire leur appétit.

— OK, soupira Peggy qui se sentait beaucoup mieux depuis une minute. Alors tes maîtres ne nous dévoreront pas.

— Mes maîtres, non, assura la créature, *mais les fleurs, oui...*

— Quoi ? hoqueta l'adolescente. Tu veux dire que les fleurs...

— Les fleurs sont carnivores, confirma le bonhomme. Oh! Vous ne le saviez pas? Je suis désolé de vous l'apprendre aussi brutalement, mais, voyez-vous, il faudra bien qu'elles mangent. C'est à cela que vous allez servir, vous les terriens : vous serez la nourriture des fleurs carnivores. Sur la planète Zêta, elles dévoraient les singes verts qui vivaient dans la nature. Elles les attiraient au moyen d'un parfum hypnotique qui forçait les gorilles à plonger au creux de leur corolle.

— Elles dévoraient des gorilles? s'étonna le chien bleu, horrifié.

— Oui, sans difficulté, confirma l'être de fumée. Elles sont très grandes. Mais elles ne peuvent rien contre mes maîtres, car la carapace des tyrannosaures résiste aux sucs digestifs des fleurs. De plus, les Zêtans sont insensibles aux parfums hypnotiques. Il en ira différemment pour vous. Je pense que vous subirez le même sort que les singes verts, car vous n'êtes guère plus intelligents qu'eux. Je vous rassure : *il paraît que ça ne fait pas mal.* Comme on est hypnotisé, on ne ressent aucune souffrance au moment où les acides du pistil vous réduisent en bouillie. Je pense que vous serez heureux de l'apprendre, non?

Les trois amis étaient atterrés. En définitive, la situation se révélait pire qu'ils ne l'avaient imaginé.

— Je tiens à vous rassurer en ce qui concerne mes maîtres, reprit l'affreux petit bonhomme. Je puis vous affirmer qu'ils ne vous feront aucun mal, eux. Vous pourrez les côtoyer sans problème, et même les caresser comme vous caressez sans doute cet affreux petit chien bleu qui vous suit partout. Les Zêtans sont très pacifiques. Ils passent leurs journées à brouter les fleurs et à méditer, dès qu'ils ont l'estomac plein. Ce sont de grands philosophes. Ils aiment se raconter des histoires drôles, des contes, des légendes. Jamais ils ne se battent entre eux ni ne se disputent. On ne peut pas rêver communauté plus sympathique.

— Mais les fleurs... intervint Sebastian.

— Ah! les fleurs, bien sûr c'est autre chose, admit la créature. *Elles sont voraces.* Il vous faudra essayer de survivre. Beaucoup d'entre vous leur serviront de repas. Mais la population de la Terre est très nombreuse, cela ne devrait donc pas poser de difficulté, du moins pendant quelques siècles... Vous verrez, les fleurs sont assez belles : vertes, avec une corolle jaune qui mesure deux mètres de diamètre. Leur parfum vous transforme en zombie. Dès qu'on le renifle, on a la cervelle qui se change en confiture de groseille. On ne sait plus ce qu'on fait. On se met à marcher vers la fleur, et on y plonge, la tête la première. *Couic*, trois minutes après, on est complètement dissous.

Peggy Sue essayait de dissimuler la terreur qui s'emparait d'elle. Tout semblait perdu.

— Tes maîtres, insista-t-elle. Rien ne peut donc les tuer?

— Non, à part le manque de nourriture. Mais ne vous faites pas d'illusions, les plantes carnivores prolifèrent comme la mauvaise herbe. Aucun désherbant n'en vient à bout. Elles sèment leurs graines aux quatre vents et sortent de terre en moins de quarante-huit heures.

— Tu es en train de nous dire qu'à moins qu'une nouvelle comète ne frôle la Terre dans les semaines qui viennent pour tout détruire à sa surface, nous ne nous débarrasserons jamais des Zêtans? lança Sebastian.

— Vous avez tout compris, gloussa la créature. Mes maîtres occuperont cette planète jusqu'au jour où le dernier humain aura été dévoré par les fleurs. Quand celles-ci commenceront à mourir les unes après les autres, ils auront de nouveau recours au subterfuge des galets. Ils attendront patiemment qu'un autre navigateur de l'espace tombe dans le piège et les emmène chez lui. C'est ainsi qu'ils procèdent, depuis la nuit des temps.

— Et tu as le culot de prétendre qu'ils sont pacifiques! s'emporta le garçon.

— Bien sûr, s'entêta le bonhomme au crâne conique. La violence leur fait horreur. Ils ne se permettraient jamais de vous faire le moindre mal.

— Mais ils laisseront les fleurs nous dévorer! cria Peggy.

— *Et alors?* s'étonna son curieux interlocuteur. Sur la Terre les oiseaux mangent les insectes, il me semble... Cela ne vous émeut pas outre mesure, c'est dans l'ordre des choses. Au bout d'un moment, vous y serez habitués. Vous n'y prêterez même plus attention. Et puis, mieux vaut être dévoré par une fleur que par un crocodile. C'est plus poétique.

Peggy Sue allait répliquer vertement quand elle remarqua des craquelures sur la carapace de fumée enveloppant la créature. Le piège était en train de se désagréger. Il fallait s'en aller sans tarder avant que le génie prisonnier de l'armure de suie ne retrouve sa liberté de mouvement.

Elle saisit Sebastian par la main et le tira vers la sortie.

— Hé! protesta le bonhomme. Ne me laissez pas comme ça! Vous aviez promis de me libérer... Revenez!

— Fichons le camp, souffla Peggy à ses compagnons. Quand il va s'apercevoir que nous l'avons dupé et qu'il aurait très bien pu s'abstenir de parler, il va devenir fou furieux!

Les adolescents s'élancèrent dans la nuit, au milieu des immeubles incendiés. Le chien bleu galopait sur leurs talons.

— Nous voilà dans un fichu pétrin, leur lança mentalement le petit animal.

— C'est vrai, admit la jeune fille. Je ne pensais pas que la situation était aussi désespérée.

— Au moins nous savons désormais à quoi nous en tenir, observa Sebastian. Il n'y a pas trente-six solutions : il faut détruire les Zêtans dès qu'ils sortiront des flammes, sans leur laisser le temps de semer leurs fichues fleurs carnivores. C'est l'unique créneau qui s'offre à nous.

— D'accord, fit Peggy Sue. Mais comment réussir ce miracle puisque, de toute façon, les Zêtans sont invincibles?

Personne ne lui répondit. On aurait beau retourner le problème dans tous les sens, on en reviendrait toujours au même point : aucune arme ne pourrait venir à bout des lézards extraterrestres qui, d'ici quelques jours, émergeraient des incendies.

— Si on ne peut pas les tuer, on ne pourra pas les empêcher de semer, récapitula le chien bleu. Et s'ils sèment, les maudites fleurs se mettront à proliférer en moins de temps qu'il ne faut pour le dire. Si les fleurs poussent, j'ai le regret de vous apprendre que nous serons tous fichus, puisque les parfums hypnotiques émis par les corolles nous forceront à nous offrir en pâture à ces végétaux du diable.

— C'est vrai, se lamenta Peggy Sue. Il ne nous restera même pas la possibilité de fuir.

— Le futur s'annonce plutôt sombre, grommela Sebastian en prenant le chemin de la forêt.

Sonnette d'alarme

Peggy Sue est épuisée. Elle marche depuis trop longtemps entre les tiges des fleurs carnivores, et cette progression a fini par avoir raison de ses dernières forces.

Si l'on veut avoir une chance de survivre, il faut se déplacer la nuit, quand les *drosera*[1] *horribilis* sont assoupies. Le jour, c'est impossible, il faut rester caché au fond des terriers, des cavernes. Si l'on met le pied dehors, elles vous attrapent et vous dévorent aussitôt.

C'est comme ça que le chien bleu est mort. Il ne supportait plus de vivre dans le noir, sous la terre. « Comme un lapin... » répétait-il. L'enfermement l'avait rendu nerveux et méchant. Il refusait d'écouter les recommandations de Peggy. Un beau matin il s'est faufilé hors du terrier et...

Peggy Sue a beaucoup pleuré.

---

1. Nom scientifique des fleurs carnivores.

C'est fini, on ne peut plus vivre dans les maisons. Les plantes carnivores poussent le long des façades, comme le lierre, elles s'introduisent par les fenêtres pour capturer les humains. On n'est nulle part en sécurité, il a fallu se résoudre à abandonner les villes.

En six mois, beaucoup de gens ont péri.

Il est difficile de résister aux fleurs car elles émettent des parfums qui vous paralysent si vous avez le malheur de les renifler. Dès qu'elles ont repéré une proie, elles ouvrent leur corolle pour pulser dans l'air des bouffées de somnifère odorant, et l'on reste là, idiot, les bras ballants, l'œil dilaté, à attendre que les pétales dentelés se penchent pour vous saisir à mi-corps, comme le ferait le bec corné d'une pieuvre géante. Ensuite... Ensuite on se retrouve enfermé, empaqueté au cœur du pistil, aspergé d'horribles sucs digestifs qui vous ramollissent et transforment votre corps en une bouillie infâme dont la fleur va se nourrir.

Granny Katy est morte ainsi.

Elle était trop vieille, elle ne courait plus assez vite. Peggy Sue n'a rien pu faire pour l'aider.

Elle a beaucoup pleuré.

Les fleurs sont partout. En moins de trente jours, elles ont recouvert la totalité du pays. Pour leur échapper, les humains essayent de se regrouper au milieu des déserts, là où les conditions climatiques s'opposent à la progression des plantes.

Mais on n'a pas toujours un désert à portée de la main.

— Moi je ne pourrai pas survivre sous une telle chaleur, dit souvent Sebastian. Au bout d'une heure, toute l'eau qui me maintient en forme sera évaporée et je tomberai en poussière. *Il faut nous séparer.* Toi, tu as une chance de rester en vie, tu ne dois pas la négliger.

Toutefois, Peggy refuse obstinément de quitter Sebastian, même si cela la met en danger.

— On dit que les gens retranchés dans les déserts meurent de soif, objecte-t-elle. Réfléchis : s'il n'y a pas d'eau pour les plantes, il n'y en a pas non plus pour les humains.

Sebastian insiste, il voudrait accompagner Peggy Sue jusqu'à la frontière d'un désert et lui dire adieu à la lisière des sables. Il en aurait le cœur brisé, il le sait, mais il préférerait qu'elle soit hors de danger. Jusqu'à présent il l'a sauvée des maudites fleurs à dix reprises, l'arrachant de justesse aux mâchoires vertes et dentelées. Il ne se fait pas d'illusions, leur chance ne va plus tarder à tourner. Il y a trop de fleurs. Au début de l'invasion il était relativement facile de les éviter, ce n'est plus le cas aujourd'hui.

Elles sont incroyablement résistantes. Sebastian a essayé de les attaquer à la hache, à la scie. Il n'a jamais réussi à entamer leur tige de plus d'un centimètre. On les dirait coulées dans le béton... un béton aussi souple que le caoutchouc. C'est à n'y rien comprendre. En outre, elles cicatrisent très vite. A peine ouvertes, les blessures qu'on leur inflige se referment.

Non... on ne peut pas se battre contre elles.

Dans les premiers temps, on a essayé de les brûler en les attaquant au lance-flammes, mais ça n'a rien donné. Elles ne craignent pas le feu.

C'est au cours de l'un de ces assauts que le capitaine Langley, le père de Martine, a été dévoré avec tous ses volontaires.

Peggy Sue est bien fatiguée. Elle ne dort presque plus. Elle a toujours peur qu'une fleur s'introduise dans le terrier où elle est recroquevillée en compagnie de Sebastian.

Les fleurs ont mangé les animaux domestiques, les vaches, les chevaux. Elles s'en prennent même aux oiseaux. Ça leur est facile : il leur suffit d'ouvrir grand leurs corolles, de vaporiser des parfums vers le ciel. Les oiseaux les respirent, s'endorment en plein vol, et tombent directement dans leur pistil.

Les Zêtans, eux, n'accordent aucune attention aux humains. Ils les côtoient sans les regarder, jamais, comme si ces petits pantins de chair rose étaient invisibles.

La plupart du temps, ces grosses bêtes écailleuses mènent une vie contemplative. Elles se dorent au soleil, somnolent, batifolent dans les hautes herbes. Le soir, quand elles ont enfin digéré les énormes quantités de fleurs carnivores ingurgitées au cours de la journée, elles se rassemblent en cercle pour se raconter des histoires dans un langage incompréhensible.

Le conteur s'installe au centre du cercle et mime son récit en agitant curieusement ses courtes pattes antérieures. Les autres l'écoutent en hochant la tête, et l'on voit bien qu'ils prennent un immense plaisir à cette narration.

Non, vraiment, les Zêtans ne sont pas méchants. Ils parlent, et rient, d'un gros rire caverneux ponctué de sifflements qui s'échappent de leurs narines. C'est leur manière à eux de manifester leur joie. Jamais on ne les voit se battre.

— On pourrait presque dire que ce sont des vaches intelligentes, dit souvent Sebastian.

— Pour eux nous sommes des fourmis, répond Peggy d'une voix lasse. Nous n'existons même pas.

Elle a, à deux reprises, tenté d'entamer une discussion avec eux, ils ont feint de ne pas la voir et se sont détournés avec ennui.

— Ils nous prennent pour une race inférieure, soupire Sebastian. Mais je dois reconnaître que j'adresse rarement la parole aux escargots...

Peggy Sue ne l'écoute pas. L'oreille tendue, elle guette le bruit des fleurs, à l'extérieur de la caverne. Elle sait qu'un jour prochain, les corolles dentelées essayeront de s'introduire dans la grotte. Ce n'est qu'une question de temps.

Elle est si fatiguée qu'elle a presque envie que cela se produise. Elle n'en peut plus de vivre dans la terreur perpétuelle. Elle voudrait dormir. Dormir pour toujours...

*

Peggy Sue se réveilla en sursaut. Une sueur d'angoisse lui mouillait le visage.

« Un cauchemar, se dit-elle avec soulagement. *Ce n'était qu'un cauchemar.* »

Elle gonfla ses poumons avec l'air frais de la nuit, mais la peur s'accrochait à elle, refusant de s'en aller. C'était comme une grosse araignée noire dont les pattes se seraient emberlificotées dans la laine de son pull.

Un cauchemar... ou une prémonition? Une vision du futur?

Avait-elle vu en songe les événements à venir?

La mort du chien bleu, celle de Granny Katy... La destruction de l'humanité...

Elle poussa un gémissement de désarroi.

« Ce n'était pas un rêve normal, songea-t-elle. Tout y paraissait trop réaliste, trop vrai... C'est un avertissement. Ce que j'ai vu va arriver si je ne parviens pas à trouver le moyen d'arrêter les Zêtans! »

Grelottante, elle regarda autour d'elle, cherchant à distinguer dans la nuit ceux qu'elle aimait et qui, en ce moment, dormaient recroquevillés à la fourche d'une branche. Elle ne voulait pas les perdre, à aucun prix. Elle devait trouver une solution... Il le fallait, coûte que coûte.

L'automne, ça coûte combien?

Peggy, Granny Katy et le chien bleu se tenaient assis à la fourche d'une grosse branche. Ils avaient la mine sombre et n'avaient pas prononcé un mot depuis dix minutes. L'atmosphère n'était guère à l'optimisme.

— J'ai une idée, annonça enfin Peggy Sue d'un ton hésitant. Elle est complètement folle, mais puisque tout semble perdu, pourquoi ne pas tenter le tout pour le tout?

— De quoi s'agit-il? s'enquit la vieille dame.

Peggy se tortilla, gênée.

— Je vous préviens, insista-t-elle, c'est un peu délirant. On dirait que ça sort d'un livre écrit par Serge Brussolo.

— Vas-y! s'impatienta Sebastian.

— Depuis un moment je tourne et je retourne dans ma tête une phrase prononcée par le petit bonhomme de la maison de fumée. Il a dit, à propos des Zêtans, qu'après s'être rempli la panse de fleurs carnivores, ils n'aimaient rien tant que se prélasser sur l'herbe en se racontant des histoires...

— Exact, confirma le chien bleu. Des contes. Il a dit qu'ils adoraient les contes.

— L'arbre légendaire est justement rempli de contes, chuchota Peggy Sue. Des milliers et des milliers de contes fabuleux, tellement passionnants qu'en les écoutant on se retrouve transformé en zombie. Regardez autour de vous... Tous ces gens à cheveux blancs, qui ont grimpé sur une branche il y a soixante ans et n'en sont jamais redescendus! Certains ont même oublié de manger tellement les légendes murmurées par les feuilles les fascinaient. Ils sont morts de faim le sourire aux lèvres.

— Je vois, marmonna Granny Katy. Tu veux utiliser l'arbre contre les Zêtans...

— Oui, je me disais qu'il suffirait que le vent souffle sur eux une averse de feuilles magiques au moment même où ils sortiraient du feu. Ce serait comme une bourrasque d'automne chargée de feuilles mortes. Elles se colleraient sur les Zêtans et...

— Et les histoires s'infiltreraient aussitôt dans leur tête, compléta le chien bleu, les hypnotisant. Nos envahisseurs resteraient figés comme des statues, à écouter les légendes de la forêt. Ils en oublieraient de semer leurs fichues graines de fleurs carnivores. Ainsi, le désastre serait évité.

— C'est une bonne idée, observa Sebastian, mais les Zêtans comprendront-ils le langage des feuilles?

— Bien sûr, répondit Granny Katy. Ce sont des feuilles magiques, elles parlent toutes les langues de l'univers et s'adaptent immédiatement à celui qui les écoute. Le problème n'est pas là...

— Où est-il, alors? demanda Peggy.

— D'une part, l'arbre acceptera difficilement de se séparer de ses feuilles, énonça la vieille dame. Pour lui, les légendes inscrites sur leur limbe sont un trésor dont il est le gardien. D'autre part, il faudrait obtenir que le vent souffle *au bon moment*, et dans le *bon sens*. En gros, il s'agit de passer commande d'une sorte d'automne sur mesure.

— Donc c'est impossible? soupira Peggy Sue.

— Rien n'est impossible à une vieille sorcière, déclara Katy Flanaghan en souriant. Mais ce ne sera pas facile. D'abord, il te faudra passer un contrat avec l'arbre légendaire. Lorsque tu l'auras convaincu de disperser une partie de son feuillage, nous devrons prendre contact avec l'administration des Tempêtes, et essayer de louer une bourrasque qui se chargera d'arracher les feuilles et de les emporter là où nous voulons.

— Ce sera un peu comme si nous engagions un pilote de bombardier et son avion, non? remarqua Sebastian.

— En quelque sorte, oui, admit Granny Katy. L'affaire ne sera pas simple, vous vous en doutez, mais je vous servirai d'intermédiaire. Je connais quelqu'un à l'administration des Vents, Tempêtes et Cyclones. Un ancien amoureux qui n'aura pas le cœur de me dire non.

Peggy Sue sentit sa poitrine s'alléger.

— Mon idée te paraît donc réalisable? insista-t-elle.

— Dangereuse, très dangereuse, murmura la vieille dame, mais elle a une chance de réussir, c'est vrai. Prépare-toi cependant à courir de grands risques. Chevaucher le vent ne sera pas une mince affaire.

— Mais tu penses que les histoires inscrites sur les feuilles magiques seront capables d'intéresser les Zêtans?

— Bien sûr, elles sont si passionnantes que même un caillou se laisserait pousser des oreilles pour les écouter.

Sebastian s'agita.

— Tout cela c'est très beau, coupa-t-il, mais rien ne sera possible si Peggy n'obtient pas l'accord de l'arbre. Comment va-t-elle faire pour lui parler?

Granny Katy fit la grimace.

— L'arbre-sorcier n'a pas d'oreilles, vous vous en doutez, murmura-t-elle. Il fonctionne à la manière d'un serpent, il capte les vibrations du sol. Ses racines amplifient le moindre son. Pour discuter avec lui, Peggy devra descendre et nouer autour de son cou l'un des tentacules comme si c'était une écharpe. Ensuite, elle parlera. La racine captera les vibrations de ses cordes vocales et les transmettra au tronc. La sève les véhiculera ensuite au sommet de l'arbre, là où réside son esprit.

Peggy Sue frissonna. L'idée de nouer autour de sa gorge l'un des affreux tentacules qui servaient à la fois de bras et de jambes à l'arbre sorcier ne l'emballait guère.

— Tu parleras lentement, expliqua Katy. En articulant chaque syllabe. Il faudra te montrer éloquente car tu vas évoquer un sujet qui risque de mettre l'arbre de fort méchante humeur. Il tient à ses feuilles. Sa mission est de les conserver coûte que coûte. Les enchanteurs qui régnaient jadis sur la forêt ont fait de lui une bibliothèque naturelle recensant toutes les légendes des bois. Ce que tu vas lui demander est inadmissible. C'est un peu comme si tu suggérais à un bibliothécaire de jeter par la fenêtre les livres dont il a la charge.

— Je sais, protesta Peggy Sue, mais c'est pour sauver le monde...

— C'est ce que tu devras lui faire comprendre.

— Et si je n'arrive pas à le convaincre?

— Alors il entrera dans une grande fureur et resserrera son tentacule autour de ta gorge, comme un nœud coulant. *Il t'étranglera...* et nous ne pourrons rien faire pour l'en empêcher.

Peggy avala sa salive avec difficulté. Voilà qui n'était guère réjouissant!

— Dis-toi que tu passes un examen, lui suggéra le chien bleu. Essaye d'être convaincante.

— Un sacré examen, oui, ricana amèrement l'adolescente, où le prof étrangle les élèves qui répondent mal!

Elle avait les jambes qui tremblaient et les mains plus moites que des méduses à peine sorties de l'eau.

— Nom d'une saucisse atomique! gronda le chien bleu. Tu vas te mettre dans un sacré pétrin, je n'aime pas trop ça. Peut-être que je devrais y aller à ta place?

— C'est gentil, fit Peggy en lui grattant la tête, mais je ne suis pas certaine qu'il comprenne tes aboiements.

— Laisse-moi te remplacer, déclara Sebastian. Tu me souffleras les arguments par télépathie. Ma gorge est de sable, elle ne risque rien.

— Non, trancha Granny Katy. Il ne faut pas tricher, l'arbre s'en rendrait compte. Nous devons jouer le jeu franchement, il n'y a pas d'autre solution. C'est Peggy Sue qui passera le contrat, et c'est encore elle qui chevauchera le vent.

S'approchant de sa petite-fille, elle la serra contre elle.

— Sois prudente, lui murmura-t-elle à l'oreille. L'arbre sorcier n'a pas la réputation d'être patient. Ce que tu vas lui demander déclenchera à coup sûr sa colère.

— Je sais, dit Peggy d'une voix tremblante, mais je n'ai pas le choix.

Après avoir embrassé tout le monde, elle se laissa glisser de branche en branche en direction du sol. Elle serrait les dents pour les empêcher de claquer et repassait son discours dans sa tête, comme une leçon qu'on révise avant d'être interrogé.

Ses pieds touchèrent enfin l'herbe, au milieu des racines. Pour l'heure, l'arbre se reposait, ses tentacules ne bougeaient pas, mais ils conservaient néanmoins l'apparence hideuse d'une nichée de gros serpents emmêlés.

« Qu'est-ce qui m'a pris d'avoir une telle idée ? » se lamenta l'adolescente en enjambant les « pattes » de l'arbre qui frémissaient au moindre effleurement.

Elle hésita, choisit une racine moins épaisse que les autres, et la noua autour de son cou, comme une écharpe.

— Hé! l'arbre! lança-t-elle d'une voix mal assurée. Tu m'entends? J'ai un marché à te proposer. A première vue tu vas pas trouver ça génial, mais c'est pour sauver le monde, tu comprends? Si tu refuses, la race humaine disparaîtra. Des extraterrestres s'installeront sur la Terre. Ils sèmeront des plantes à eux, ce sera la fin de la forêt telle que tu l'as connue... Tu vois?

Elle bafouillait. Ce n'était pas facile de tenir des discours avec cette espèce de nœud coulant végétal passé autour de la glotte. Elle craignait de sentir soudain le tentacule se resserrer comme la corde d'une potence.

Elle s'appliqua à décrire la prolifération des plantes carnivores zêtanes. « Peut-être que l'arbre se fiche des humains, après tout, songea-t-elle. Il vaut mieux lui parler de ce qui le concerne. L'herbe, les légumes, tout ça... »

Elle avait conscience de raconter n'importe quoi. Par moments, la racine tressaillait d'impatience autour de son cou.

« Allez, se dit-elle, j'ai assez perdu de temps. Entrons dans le vif du sujet. »

Et elle exposa le plus clairement possible les termes du traité.

— Il s'agit d'acheter une demi-heure d'automne, expliqua-t-elle. Au moment précis où les extraterrestres sortiront des flammes, un petit vent traversera ton feuillage pour prendre livraison des feuilles magiques que tu accepteras gentiment de nous abandonner. Cette bourrasque soufflera les feuilles sur les Zêtans, pour qu'elles se collent à eux. Ils se retrouveront alors foudroyés par l'enchantement et ne penseront plus qu'à écouter les contes écrits à la sève magique. Ils oublieront tout le reste : l'invasion, les graines à semer... Cela nous donnera le temps de nous retourner.

Elle avait à peine prononcé ces mots que le nœud se resserra de trois centimètres autour de son cou. Elle gémit. L'arbre semblait hésiter sur la décision à prendre. Allait-il accepter ? Allait-il étrangler cette gamine insolente ?

Peggy Sue voulut reprendre son argumentation, hélas, elle avait la gorge si serrée que les mots sortaient mal.

Sa figure était en train de virer au bleu. Sa langue doublait de volume. Elle n'osait esquisser aucun geste de défense pour ne pas indisposer son interlocuteur.

« Courage ! lui lança mentalement le chien bleu, tiens bon, nous arrivons. Nous allons trancher cette saleté de racine !

— Non ! lui répondit Peggy de la même façon. Vous n'y arriverez pas... et cela rendrait l'arbre encore plus furieux. C'est trop tard, on ne peut plus rien faire. Il faut attendre. »

Une minute s'écoula pendant laquelle Peggy Sue se crut près de mourir, puis, lentement, l'étreinte du tentacule s'allégea. Pour finir, la racine se dénoua et tomba sur le sol.

— Il accepte! cria Granny Katy. Tu as réussi! Il accepte de nous livrer une partie de son feuillage. C'est fabuleux.

Peggy Sue se frotta la gorge. Il s'en était fallu d'un rien.

Ses amis la rejoignirent. Ils se congratulèrent à l'ombre de l'arbre géant. La vieille dame avait les larmes aux yeux. Sebastian serra l'adolescente contre lui comme s'il voulait l'étouffer. Le chien bleu déposa à coups de langue dix litres de bave sur la figure de Peggy pour lui témoigner son affection. C'était trop, à la fin, la jeune fille dut les repousser.

Quand elle eut repris son souffle, elle demanda à sa grand-mère :

— Et maintenant, quel est le programme?

— Nous allons quitter l'arbre, annonça Katy Flanaghan. Il est maintenant capital d'obtenir une audience au ministère des Vents, Tempêtes et Cyclones.

Peggy Sue, dompteuse de tempête

Granny Katy s'enfonça dans la forêt, suivie de Peggy, de Sebastian et du chien bleu. Après un long et pénible voyage, ils débouchèrent dans une clairière où se dressaient des menhirs couverts de mousse millénaire.

— Voilà, annonça la vieille dame, c'est l'une des entrées qui mènent au ministère des Tempêtes. Ces menhirs sont creux, ils fonctionnent comme des cabines d'ascenseur. Si l'on connaît la bonne formule magique, ils s'ouvrent, on y entre... et ils vous emmènent dans une autre dimension.

S'approchant de l'une des grandes pierres levées, elle frappa trois fois la roche du plat de la main en murmurant des mots mystérieux. Aussitôt, le menhir s'ouvrit, dévoilant une espèce de caverne étroite dans laquelle les voyageurs prirent place.

Katy Flanaghan prononça une autre formule, et le rocher se referma.

— On n'y voit rien, se plaignit le chien bleu.

— Ce ne sera pas long, déclara la vieille dame. Quand nous sortirons de la pierre, soyez polis avec le directeur du ministère. Il s'appelle Adolphe d'Alizé. Il est baron, très prétentieux et n'a aucun humour. Dans le temps, il était amoureux de moi. Il est le seul à pouvoir nous aider.

La pierre trembla, et, l'espace de trois secondes, Peggy Sue eut l'illusion de se trouver à l'intérieur d'une fusée en train de décoller.

Le voyage fut court. Quand le menhir s'entrebâilla de nouveau, l'adolescente vit que le paysage avait changé. La forêt avait disparu. Une plaine immense, couverte de brouillard, la remplaçait. A travers la brume, on devinait les formes d'une tour de contrôle.

— On dirait un aéroport, murmura Peggy. Il n'y a pas d'avions et pourtant on entend rugir des moteurs.

Un personnage incroyable apparut. Grand, le visage barré par une moustache grise interminable, il portait un uniforme de maréchal constellé de décorations, d'épaulettes et de machins dorés dont Peggy Sue ignorait tout à la fois le nom et la signification.

— Bonjour, dit-il, je suis Adolphe Charles Émile d'Alizé, commandant en chef suprême et définitif du ministère des Tempêtes. Que puis-je pour vous ?

A ce moment, il reconnut Granny Katy, devint tout rouge et se mit à bredouiller

— Ka... Ka... Katy, balbutia-t-il. C'est vous ? Je ne m'attendais pas à...

Peggy Sue en profita pour examiner les lieux. Il faisait froid. Des courants d'air ne cessaient de s'introduire dans ses vêtements comme s'ils voulaient les lui arracher. Dans le lointain résonnaient des ululements affreux à vous faire dresser les cheveux sur la tête.

— Ce sont sûrement les tempêtes? supposa Sebastian. Je croyais que c'étaient des moteurs d'avions! Je ne suis pas rassuré. J'ai toujours eu peur du vent. Il pourrait m'éparpiller aux quatre coins de l'univers en moins d'une seconde.

Pendant que les adolescents et le chien bleu scrutaient le paysage, Granny Katy essayait tant bien que mal d'expliquer au baron le motif de leur visite. Celui-ci semblait réticent. La vieille dame fit les présentations. Le baron Adolphe salua les enfants du bout des lèvres et ignora résolument le chien.

— Faisons quelques pas, proposa-t-il. Chère Katy, je suis très content de vous voir mais affreusement embarrassé par votre requête. Les choses ne sont pas aussi simples que vous semblez le croire.

« Ça se présente mal, songea Peggy. Que ferons-nous s'il refuse de nous aider? »

*

L'endroit ressemblait vraiment à un aéroport désert. Une gigantesque piste d'envol s'étirait jusqu'à la ligne d'horizon. De grands hangars fermés à double tour, pareils à ceux où l'on range les avions, encerclaient la tour de contrôle.

Des grondements furieux s'en échappaient, comme si on y tenait enfermés des tigres géants affamés de chair fraîche. Par moments, les tôles de ces bâtiments dépourvus de fenêtres se mettaient à trembler.

« On dirait qu'un éléphant y fait des cabrioles », se dit Peggy Sue.

— Que cachez-vous là-dedans? demanda-t-elle au baron d'Alizé.

— Les vents, les bourrasques, les tornades, les cyclones, expliqua le fonctionnaire avec une pointe d'impatience. Chaque vent possède son hangar attitré. Après avoir fait le tour du monde, il revient à son point de départ, ici, et réintègre son logement pour s'y reposer.

— Les vents se fatiguent? s'étonna le chien bleu.

— Évidemment, grommela le baron. Vous ne croyez tout de même pas qu'on peut sauter impunément d'un pays à l'autre sans user son énergie?

Il désigna des hangars silencieux, sur la droite.

— Ici, dorment les vents épuisés qui reviennent de mission, dit-il. Leurs soigneurs leur feront respirer des fumées vitaminées qui leur redonneront bientôt force et énergie.

— Qu'y a-t-il dans ces entrepôts? s'enquit Peggy Sue en montrant les bâtiments d'où montaient des grondements.

— Là, c'est le contraire, fit le baron. Les vents qui s'y trouvent enfermés débordent d'énergie et de santé. Ils n'ont qu'une envie, s'élancer à travers l'espace. Ils commencent à s'impatienter, d'où ce remue-ménage. Si on les fait trop attendre, ils deviendront méchants et se changeront en tornade, en cyclone. Au lieu de souffler gentiment, ils ravageront les contrées qu'ils traverseront.

— Pourquoi ne les lâchez-vous pas?

— Parce que c'est encore trop tôt. Il faut bien calculer les choses. Si on libère une bourrasque alors qu'elle n'a pas encore recouvré toute sa puissance, elle s'épuise, meurt en cours de route et ne revient pas. Je dois conserver mon escadrille en bon état. C'est ma mission.

Peggy Sue hocha la tête. Elle n'avait jamais pensé à tout ça. Jusqu'à présent, elle avait toujours cru que le vent soufflait à sa fantaisie.

— On se dirait dans un cirque, installé sur un aéroport, fit rêveusement Granny Katy. Les vents sont des fauves et les soigneurs, des cornacs ou des dompteurs. C'est amusant.

Le baron parut fort vexé par cette plaisanterie, il se raidit dans son uniforme chamarré d'or.

— Vous vous trompez, Katy, lâcha-t-il d'un ton pincé. Tout cela n'a rien de drôle. C'est une grande responsabilité de veiller sur les vents. Imaginez que je me trompe dans mon estimation et que je libère une bourrasque enragée d'avoir trop attendu et qui, pour se venger, ravagera la moitié d'un pays?

Peggy Sue n'écouta pas la suite de la conversation. Elle était fascinée par les grondements qui provenaient du hangar le plus proche. Les tôles de la construction vibraient comme si elles allaient voler en éclats d'une minute à l'autre.

— On dirait un tremblement de terre en conserve... remarqua le chien bleu. Ça me flanque une trouille de tous les diables.

Des soigneurs couraient le long du bâtiment pour renforcer avec des étais les parois qui menaçaient de céder.

— Ah ! soupira le baron, celui-là nous cause bien du souci. Il pète de santé, c'est un vrai colosse capable de faire trois fois le tour du monde sans s'essouffler, mais il est toujours de mauvaise humeur. Si on le lâchait maintenant, il détruirait tout sur son passage. Il va falloir le calmer avant son départ. Pour cela les soigneurs vont utiliser des fumigations apaisantes qui l'endormiront un peu.

— Cher Adolphe, intervint Granny Katy. Nous comprenons bien l'importance de votre travail. Loin de nous l'idée de le compliquer davantage, mais nous voudrions louer les services d'un petit vent sans importance pour une mission d'un quart d'heure tout au plus. Il devra prendre livraison d'une certaine quantité de feuilles mortes et les souffler sur la ville d'Aqualia.

— Chère Katy, ricana le baron, vous êtes charmante mais vous n'y connaissez pas grand-chose, permettez-moi de vous le dire. Rien n'est simple ni facile avec les vents. Pour que votre projet ait une chance de réussir, il faudrait que mademoiselle Peggy Sue apprenne à soigner une bourrasque, à l'apprivoiser... Elle aurait ainsi l'occasion de lui enseigner le tour que vous venez de me décrire.

— Je veux bien, s'empressa de dire Peggy. C'est pour sauver le monde.

Le baron ricana.

— Le monde, nous nous en fichons bien ! sifflat-il entre ses moustaches. Qu'il soit habité par des humains ou par des lézards à huit pattes, cela ne change rien quant au travail des vents. Ils souffleront toujours. Ils souffleraient même si la Terre n'était plus qu'un caillou désertique.

— Je vous dis que j'accepte, répéta Peggy qui commençait à trouver le bonhomme plutôt antipathique. Montrez-moi ce que je dois faire.

— Ce n'est pas mon rôle, lâcha Adolphe d'Alizé avec dédain. Un des dompteurs s'en chargera, mais tu ne sais pas à quoi tu t'engages, petite. S'occuper d'un vent est très dangereux. On peut être mis en pièces. C'est comme si tu t'apprêtais à soigner un lion, dans une ménagerie.

— J'apprendrai, déclara Peggy d'un ton sans réplique. Je n'ai pas le choix.

— Comme tu voudras, fit Adolphe. Mais je t'aurai prévenue. Chère Katy, vous ne viendrez pas pleurnicher si on vous rend les morceaux de votre petite-fille dans une boîte en carton, j'espère ? Je ne plaisante pas.

— Peggy Sue sait ce qu'elle fait, décréta la vieille dame en posant une main affectueuse sur la tête de l'adolescente.

— Comme vous voudrez, soupira le baron avec un haussement d'épaules. Alors faites-lui vos adieux et reprenez l'ascenseur pour regagner la Terre. Je vais la confier à Michel, l'un de mes dompteurs.

— Nous ne pouvons pas rester avec elle ? protesta Sebastian.

— Non, grogna Adolphe. Le personnel non autorisé n'a rien à faire sur les pistes d'envol. Chère

Katy, je vous adore, mais vous avez deux minutes pour quitter les lieux. Le devoir m'appelle.

Peggy Sue se jeta dans les bras de sa grand-mère, puis dans ceux de Sebastian. Enfin, elle ébouriffa la tête du chien bleu.

— Je vais faire de mon mieux, assura-t-elle en retenant ses larmes. Tenez-moi au courant de la situation. Envoyez-moi des messages télépathiques pour me dire ce que font les Zêtans. Il ne faudrait pas qu'ils sortent du feu avant que je sois prête.

— D'accord, murmura la vieille dame en l'étreignant.

— Allez! C'est fini! cria le baron d'Alizé. Grimpez dans l'ascenseur. Vous m'avez fait perdre un temps précieux. Je dois surveiller le lancement d'une tempête dans deux minutes.

Il poussa Granny Katy, Sebastian et le chien bleu à l'intérieur du menhir volant et les réexpédia sur terre.

— Tu es courageuse, petite, dit-il lorsqu'il se retrouva seul avec Peggy Sue. Hélas, tu as peu de chance d'en sortir vivante. Accompagne-moi dans la tour de contrôle, tu assisteras à l'envol d'une belle tempête, cela te fera peut-être comprendre les dangers que tu cours.

La jeune fille obéit. Ils grimpèrent dans la tour dominant la piste. Assis derrière un pupitre, un contrôleur surveillait les aiguilles d'un chronomètre et égrenait le compte à rebours.

— Les vents sont comme des avions, expliqua le baron. Ils suivent un plan de vol soigneusement établi. La tempête que nous allons libérer va traverser la mer de Chine et ravager les côtes du Japon pendant trois jours. Ensuite, elle rentrera ici pour se reposer.

— Mais pourquoi la lâchez-vous si elle fait du mal à tout le monde? s'étonna Peggy.

— Nous y sommes bien obligés, riposta Adolphe. Si on essayait de la garder enfermée dans son hangar, elle ferait tout exploser, et nous serions détruits. A présent, tais-toi et regarde. Si cela te fait trop peur, tu pourras sauter dans l'ascenseur et rejoindre ta grand-mère... qui est charmante mais, soit dit entre nous, un peu folle.

— Paré pour le lancement, mon commandant, dit le contrôleur.

— Bien, fit le baron. Notez qu'il s'agit de la tempête n° 234 qui s'envole pour la mer de Chine dans un état de colère de force 6. État d'esprit qui présage de gros dégâts. Malgré des fumigations calmantes, il a été impossible de ramener le matricule 234 à de meilleurs sentiments. Le lancement peut commencer.

— 5, 4, 3, 2, 1... Zéro! énuméra le contrôleur.

Peggy Sue s'approcha de la fenêtre pour observer la piste.

Un certain affolement régnait en bas autour d'un gros hangar peint en rouge vif. Les employés se dépêchaient d'ouvrir les cadenas qui maintenaient fermées les portes de métal toutes bosselées. A l'intérieur, la tempête ruait comme un cheval furieux, menaçant de disloquer les tôles si l'on tardait à lui rendre sa liberté.

Le dernier cadenas à peine ôté, les battants métalliques furent repoussés avec une incroyable violence et *quelque chose* jaillit des profondeurs du bâtiment.

Peggy Sue ne put déterminer de quoi il s'agissait. C'était comme un monstrueux animal transparent, sans formes précises. Une boule de colère et d'énergie. Quelque chose de terrible, à n'en pas douter !

La chose s'élança sur la piste d'envol, arrachant des mottes de terre et des morceaux de bitume. Elle roulait, telle une avalanche invisible. Cela dura une dizaine de secondes, puis la tourmente translucide prit son envol et se fondit dans le ciel.

— Notez l'heure du décollage, ordonna le baron Adolphe d'Alizé au contrôleur. Précisez sur le journal de bord que tout s'est bien passé.

Peggy Sue marmiton

Un peu plus tard, le baron lui présenta le garçon qui lui enseignerait les rudiments du métier de cornac. Il s'appelait Michel, c'était un adolescent costaud, couvert de taches de rousseur. Ses cheveux semblaient une poignée de paille collée au sommet de son crâne.

— Tu as tort de vouloir faire ça, grommela-t-il dès qu'ils furent sortis de la tour de contrôle. C'est super-dangereux, tu sais?

— C'est pour sauver le monde, objecta Peggy.

— Le monde? s'étonna Michel. Je ne me rappelle plus très bien à quoi ça ressemble, il y a si longtemps que j'en suis parti. Bon, après tout, ça te regarde. Tu t'en rendras vite compte : je ne suis pas bavard. Observe bien mes gestes et fais comme moi. Garde toujours à l'esprit que les vents sont des bêtes fauves. On ne peut pas leur faire confiance, ils sont changeants. Un jour gentils, le lendemain prêts à tout casser.

Michel remit une caisse pleine d'outils à Peggy Sue et l'entraîna à sa suite entre les hangars. Des coups sourds ébranlaient les tôles déjà bosselées.

— Tu vois, fit le jeune homme en désignant le sommet d'un entrepôt. Il va falloir grimper sur ce toit pour le consolider. Le vent qu'on remise ici est super-violent. Il a l'habitude de raboter les montagnes, au Népal. Il aime provoquer des avalanches. Il essaye tout le temps de s'échapper. Quand nous serons là-haut, ne le laisse surtout pas t'attraper.

— Comment pourrait-il m'attraper puisqu'il est enfermé?

Michel ricana.

— Méfie-toi de la moindre fissure dans la tôle. *Il serait capable de t'aspirer par là.* Ça fait trop longtemps qu'il est enfermé, il a envie de casser quelque chose. Le baron devrait le relâcher avant qu'il n'arrive un malheur.

Des échelons soudés sur le flanc du hangar permettaient de se hisser sur le toit. Ils les empoignèrent. Le vent, qui avait senti leur présence, vint cogner contre la paroi pour leur faire perdre l'équilibre.

« Charmante nature! songea l'adolescente. Et c'est un énergumène de ce genre que je vais devoir convaincre de m'aider à combattre les Zêtans! J'ai l'impression que je ne vais pas être très bien accueillie. »

Un groupe de garçons travaillait déjà sur le toit de l'entrepôt. Les traits crispés, ils s'appliquaient à consolider les plaques de tôle que les coups de boutoir du vent avaient à moitié dessoudées.

En passant près d'une fissure, Peggy se sentit capturée par une force invisible qui l'aspirait à l'intérieur de la bâtisse. Michel s'empressa de la tirer en arrière.

— Tu commences à comprendre ? fit-il. Le vent est là, il nous guette par les trous de la tôle. Il aime bien aspirer un ouvrier de temps en temps. Il s'amuse avec.

— Que lui fait-il ? s'inquiéta Peggy Sue. Il le tue ?

— Non, même pas, grommela Michel en détournant les yeux. *Il le déforme...* comme si son corps était de la pâte à modeler. Tu imagines ? Parfois il étire le pauvre malheureux comme un chewing-gum, lui donnant l'apparence d'un tuyau d'arrosage. Parfois il le tirebouchonne, le roulant en vrille. Le pire, c'est qu'on n'en meurt jamais, on reste comme ça, pour toujours. Quand on tombe dans les pattes du vent, on passe un sale quart d'heure.

Peggy Sue promit de se montrer prudente.

*

Ils travaillèrent deux heures sur le toit. Chaque fois qu'elle s'approchait d'une fissure pour la colmater, l'adolescente sentait les doigts invisibles de l'aspiration se refermer sur ses chevilles. Elle devait alors se cramponner pour ne pas glisser. Mécontent, le vent se mettait à ruer en tous sens. Il avait tant de force qu'on se demandait comment le hangar tenait encore debout.

— On redescend, annonça enfin Michel. Je vais maintenant te faire visiter le quartier des vents épuisés, qui reviennent de mission.

— Au moins ils n'essayeront pas de m'attraper, soupira Peggy.

— Non, fit Michel, mais contrairement à ce que tu crois ce n'est pas un travail reposant. Il faut tout le temps rester sur ses gardes. Tu comprends ce que je dis?

— Oui, je crois... répondit Peggy d'une voix mal assurée.

Elle ne pouvait s'empêcher de sursauter chaque fois qu'un nouveau choc ébranlait la paroi d'un hangar.

— Des bêtes fauves, répéta Michel. Des bêtes fauves trop longtemps enfermées. Je ne voudrais pas qu'il t'arrive malheur. Tu es mignonne, ça m'embêterait de voir une tempête te transformer en monstre tirebouchonné. J'ai un copain à qui c'est arrivé. Pas beau à voir, tu peux me croire. Aujourd'hui, on l'appelle Tête-en-Vrille.

Ils atteignirent enfin une zone plus tranquille.

— Nous voilà dans le quartier des vents fatigués, expliqua le jeune homme. Ils ont parcouru le monde et en sont revenus à bout de souffle. Ils se reposent, chacun dans leurs hangars respectifs. Notre travail, ici, est comparable à celui d'un infirmier. Nous devons leur faire respirer des vapeurs vitaminées. Des fumées magiques que nous concoctons dans cette cuisine (il désigna un bâtiment de brique rouge surmonté d'une grosse cheminée). Je vais t'apprendre quelques recettes de base car c'est toi, et toi seule, qui devras t'occuper du vent avec lequel tu auras conclu un traité.

— Je ne suis pas très bonne cuisinière, avoua Peggy Sue. Je ne réussis que les tartes aux fruits et les cookies.

Michel pouffa de rire.

— Ce n'est pas ce genre de cuisine qu'on prépare ici, lança-t-il. On ne travaille qu'avec des fumées, des odeurs, des parfums. Les vents se nourrissent de choses impalpables : des brouillards odorants, des brumes assaisonnées de musique. Ces émanations se mêlent à eux et les fortifient. Tu vois, le principe est simple.

Il déverrouilla une porte métallique étanche bordée d'un joint de caoutchouc. Peggy Sue entra dans une sorte de vestiaire. Elle marqua un temps d'arrêt sous l'effet de la surprise : des dizaines de masques à gaz pendaient à des crochets.

— Tous les cuisiniers doivent en porter, fit Michel d'un ton sans réplique. Ce qui fait du bien aux vents nous *empoisonne*, nous, les humains. Tu ne devras jamais respirer la nourriture qui mitonne sur le coin des fourneaux. Les cassoulets de brouillard, les fricassées de brume affecteraient ton organisme de façon définitive.

— De quelle manière? s'enquit Peggy Sue en décrochant l'un des masques.

— De manière horrible... fit le jeune homme d'une voix sourde. Tu... *tu deviendrais une odeur.*

— Quoi?

— Tu as parfaitement entendu, les parfums émanant des aliments s'infiltreraient dans ton corps par ton nez. Au bout de quelques heures, ta peau deviendrait transparente, puis toute molle. Tu commencerais à te dissoudre pour te changer en quelque chose qui ressemblerait à du brouillard. Enfin, ce brouillard deviendrait invisible, à son tour, et tu ne serais plus qu'une odeur flottant au gré des courants d'air. Un parfum vagabond.

— C'est affreux, murmura Peggy.

— Clara, ma fiancée, a disparu de cette façon, soupira Michel. Un jour, en soulevant une marmite, elle a glissé sur une flaque de brouillard humide et s'est cogné la tête. Son masque s'est fendu.

— Quelle horreur... souffla Peggy.

— Je n'ai rien pu faire, gémit le jeune homme en se cachant le visage dans les mains. Elle s'est défaite sous mes yeux, devenant de plus en plus transparente d'heure en heure. A la fin, ce n'était plus qu'une écharpe de brouillard qui s'effilochait. Elle avait une odeur de myosotis.

— Qu'est-elle devenue? demanda Peggy Sue.

— Elle rôde sur la base, dit Michel avec un pauvre sourire. Elle tourne autour des hangars, parfois je sens son odeur. Je sais que c'est elle qui vient me dire bonjour. Elle est là, mais je ne peux pas la voir, seulement la sentir. Du myosotis, oui. Un parfum de myosotis.

Peggy lutta contre la tristesse qu'avait fait naître en elle le récit de Michel.

— Je te raconte ça pour te mettre en garde, martela le jeune homme. On ne plaisante pas ici avec les mesures de sécurité. Je veux que tu saches ce qui t'attend si tu commets la moindre erreur.

— J'ai compris, fit Peggy Sue en enfilant le masque, ne t'inquiète pas.

— Tu devras conserver le masque pendant tout le temps que tu manipuleras la nourriture des vents, insista le jeune homme. Maintenant viens, je vais te faire visiter la cuisine.

Après s'être équipé, Michel manœuvra une deuxième porte étanche. Peggy Sue renifla sans percevoir aucune odeur. La pastille filtrante du masque constituait un barrage efficace contre les émanations magiques montant des marmites.

La cuisine occupait une salle gigantesque où s'affairaient d'étranges marmitons équipés, eux aussi, de respirateurs en caoutchouc. D'énormes bonbonnes métalliques s'alignaient sur les étagères. Chacune d'entre elles portait une étiquette révélant son contenu.

Odeur de marécage moisi, lut Peggy Sue. *Relents de marais croupi. Urine de dragon éventée...*

« Encore heureux que je porte un masque, se dit-elle, ça ne doit pas être génial à renifler ! »

Mais, plus loin, elle dénicha d'autres tonneaux remplis, eux, de senteurs agréables : *Tarte aux pommes qui refroidit. Linge fraîchement lavé. Odeur de cahier neuf...*

— Tout dépend des goûts du vent dont on doit s'occuper, commenta Michel. Ceux qui soufflent en permanence sur les terres marécageuses ont appris à aimer les odeurs putrides. Pour eux, elles symbolisent les grands espaces et la liberté. Tu devras déterminer les habitudes alimentaires du vent dont tu seras le cornac et préparer la pâtée d'odeurs qui lui convient en puisant dans ces flacons. Ta tambouille terminée, tu la verseras dans une bouteille hermétique pour la porter au hangar de ton petit protégé. Ne quitte jamais ton masque, sous aucun prétexte, tant que le vent n'aura pas absorbé le contenu de son écuelle. Une fois l'odeur mêlée à son souffle, tu n'auras plus rien à craindre. Diluée, elle devient inoffensive pour l'homme.

— C'est compliqué, soupira Peggy.

— Dompter les tempêtes n'est pas un métier facile, grogna Michel.

Pendant l'heure qui suivit, il lui montra comment concocter un aliment de base qui plaisait à la majorité des vents : parfums de prairies, odeurs de vaches, fumée de chalets, bêlements de chèvres...

— Il ne faut pas craindre d'avoir la main lourde, commenta le jeune homme. Une fois diluées, les pires puanteurs deviennent agréables.

Son mélange achevé, il en remplit une bonbonne métallique qui ressemblait à ces bouteilles d'oxygène que les plongeurs sous-marins portent sur le dos.

— Voilà, annonça-t-il, à présent allons nourrir ton bébé.

Ils sortirent de la cuisine en respectant les précautions d'usage et reprirent leurs déambulations entre les hangars.

— Je vais te présenter le n° 455, un petit vent sans grande importance, expliqua Michel à voix basse. Il n'est pas très puissant mais je pense qu'il conviendrait parfaitement pour ce que tu veux faire. Je te préviens : il est paresseux et toujours de mauvaise humeur.

— Tu n'aurais rien de mieux ? gémit Peggy Sue.

— Hélas non, déclara le garçon. Tous les vents importants sont affectés à des missions précises. Les seuls encore disponibles sont les malades et les défectueux.

— Les défectueux ?

— Oui, ceux qui manquent de précision. Ils ont perdu le sens de l'orientation. On leur dit de souffler sur Paris et on les retrouve quelque part du côté de Tokyo.

— Ça ne fait pas du tout mon affaire, protesta l'adolescente.

— Il faudra t'en contenter, grogna Michel. Je n'ai rien d'autre en réserve.

— Mais c'est pour sauver le monde ! insista la jeune fille.

— Tu exagères, ricana son interlocuteur. Tu veux sauver les humains, c'est autre chose. Pour nous, le monde ce sont les montagnes, la mer et les forêts. Quant aux habitants de ces lieux, nous nous en fichons.

— Je comprends maintenant pourquoi ça ne vous gêne pas de nous bombarder de typhons et de cyclones ! siffla Peggy Sue, en essayant de masquer son agacement.

A force de planer sur leurs hauteurs, les employés du ministère des Tempêtes semblaient avoir perdu le sens des valeurs. Comme ce n'était guère le moment de se disputer avec son instructeur, elle préféra garder le silence et se laisser conduire jusqu'à la remise où l'attendait le vent qu'on lui avait réservé.

— C'est ici, déclara Michel. Pour nourrir l'habitant d'un hangar, on branche la bouteille sur cette vanne, là... Il suffit de tourner le robinet et le tour est joué. L'odeur vitaminée se répand à l'intérieur de la bâtisse. Le vent s'en empare aussitôt et la mélange au souffle qui le compose.

— Comment saurai-je qu'il a fini de manger et que je peux enlever mon masque?

— C'est facile, tu l'entendras remuer. Les vitamines lui donneront de l'énergie et il s'agitera. Il fera du bruit, deviendra turbulent. S'il reste inerte, c'est que la nourriture ne lui convient pas. Tu devras alors essayer de connaître ses goûts et t'y adapter.

— Je peux lui parler, il m'entendra?

— Bien sûr. Et il te répondra, à sa manière. La parole c'est du souffle, non? S'il veut s'adresser à toi, le vent se débrouillera pour imiter la voix humaine. Tu n'auras qu'à tendre l'oreille. A présent je dois te laisser te débrouiller, j'ai du travail qui m'attend. J'espère que tu seras assez futée pour triompher des pièges qui te guettent.

Une méchante petite odeur

Le vent n° 455 habitait un hangar, à l'écart des autres. Peggy Sue frappa timidement contre la tôle de la porte pour éveiller son attention.

— Mouais ? grogna une voix creuse qui semblait venir du fond d'un tuyau.

— Bonjour, dit la jeune fille, je m'appelle Peggy Sue, j'ai besoin de toi pour sauver le monde, veux-tu m'aider ?

— Je suis trop fatigué, répondit le vent. Tu dois d'abord me nourrir. A l'heure actuelle je suis si faible que je ne pourrais même pas souffler les bougies de ton gâteau d'anniversaire.

— D'accord, fit Peggy. Dis-moi ce que tu aimes et j'irai te le préparer à la cuisine.

— Il me faut des odeurs de fleurs, soupira le vent. Des parfums de printemps, avec des chants d'oiseaux et des bourdonnements d'abeilles.

— D'accord, lança l'adolescente. Je file te préparer ça et je reviens.

Pendant qu'elle se rendait au réfectoire, elle fut soudain submergée par une odeur de myosotis.

« Tiens, songea-t-elle, on dirait que le fantôme de Clara, la copine de Michel, m'a prise en filature. »

Elle hésita sur la conduite à tenir. Devait-elle lui adresser la parole ? Elle éprouvait de la sympathie et de la tristesse envers cette jeune fille que les produits magiques avaient transformée en parfum.

Toutefois, elle pressa le pas car l'odeur devenait incommodante et elle commençait à avoir mal à la tête. Clara essayait-elle de lui dire quelque chose ?

Comme elle atteignait les abords de la cuisine, elle mit son masque à gaz. Aussitôt, sa migraine disparut.

A l'intérieur du bâtiment, les cornacs couraient en tous sens dans un grand fracas de bonbonnes entrechoquées, chacun essayant de fabriquer la nourriture exigée par le vent dont il avait la charge. Peggy Sue dut se glisser au milieu de la cohue en essayant de ne pas trop se faire piétiner. Elle longea les étagères en prélevant les produits dont elle avait besoin : chants d'oiseaux, bourdonnements d'abeilles...

Alors qu'elle se haussait sur la pointe des pieds pour attraper un bidon rempli à ras bord de meuglements de vache, elle se heurta à Michel.

— Hé ! lui lança-t-elle, ça va ? Je viens de sentir le parfum de ta copine... du myosotis, c'était si fort que j'en ai eu la migraine. Je suppose qu'elle essayait de me dire bonjour.

Michel détourna le regard. Le masque à gaz ne permettait guère de suivre ses jeux de physionomie, mais on devinait qu'il était mal à l'aise.

— Ho! dit-il sans entrain. J'aurais dû te prévenir.

— De quoi parles-tu? s'inquiéta Peggy.

— De Clara, ma petite amie transformée en parfum, murmura le garçon. Ce n'est pas pour te tenir compagnie qu'elle flotte autour de toi, *c'est parce qu'elle est jalouse.* Elle nous a vus ensemble, et elle n'a pas aimé ça. En règle générale, les fantômes parfumés détestent les gens qui ont un corps. Alors, ils s'arrangent pour leur jouer des tours. De très mauvaises blagues qui peuvent provoquer des accidents mortels.

— Mais comment cela? s'étonna Peggy.

— En se servant de leur parfum, expliqua Michel. Ils le concentrent. A haute dose, ça devient comme un venin qui vous fait perdre la tête. Dès que tu renifleras une odeur de myosotis, mets ton masque. Ça voudra dire que Clara s'approche de toi pour te faire une vacherie.

— Mais pourquoi? protesta Peggy Sue, je ne la connais même pas!

Michel haussa les épaules.

— C'est comme ça, c'est tout, fit-il. Elle est jalouse et elle cherche à se venger de ce qui lui est arrivé. Tous les fantômes parfumés partagent la même obsession : se débrouiller pour que les vivants deviennent comme eux. En plus, elle doit s'imaginer que je veux faire de toi ma petite amie et ça la rend dingue. Sois très prudente.

— Tu ne peux pas lui dire qu'elle se trompe?

— Non, elle ne m'écouterait pas. Tu seras en danger tant que tu t'attarderas ici. Apprivoise le vent dont tu as besoin et envole-toi avec lui sans attendre, c'est un conseil d'ami. Maintenant excuse-moi, mais j'ai du travail.

Après avoir esquissé un geste de la main, le jeune homme se perdit dans la bousculade des marmitons préparant le repas des vents.

Peggy Sue, d'abord désorientée, se reprit.

« Voilà autre chose ! songea-t-elle. Comme si la situation n'était pas assez compliquée ! »

Préoccupée, elle acheva son mélange et ferma la bonbonne métallique contenant la nourriture de la bourrasque dont elle avait la charge.

Elle quitta la cuisine sans ôter son masque. Ce n'était pas pratique parce qu'elle avait chaud, et transpirait à grosses gouttes. Tous les dix pas, elle regardait par-dessus son épaule comme si elle allait voir la silhouette spectrale de Clara se dessiner dans les airs. C'était idiot. On voit rarement les odeurs se promener dans les airs !

N'y tenant plus, elle arracha le groin de caoutchouc qui lui collait aux joues. L'air frais lui fit du bien. Elle suspendit l'objet à sa ceinture pour l'avoir sous la main au cas où le besoin s'en ferait sentir.

De retour au hangar, elle brancha la bonbonne de nourriture sur la vanne qui permettait au vent de s'alimenter.

— Alors ? demanda-t-elle, c'est bon ?

— C'est fade, ulula la voix caverneuse du prisonnier, ça manque de bourdonnements d'abeilles. J'aime les plats un peu plus relevés. La prochaine

fois, tu ajouteras le zonzon d'un essaim de guêpes...
ou bien le bruit d'une scierie en train de débiter des
troncs de sapin au flanc d'une montagne.

« Quel capricieux! soupira mentalement Peggy
Sue. Il va m'en faire voir de toutes les couleurs. »

*

Elle dut retourner trois fois à la cuisine au cours
de l'après-midi car le vent était insatiable. Il mourait de faim, gémissait-il. Il y avait des semaines
que personne ne s'occupait de lui, c'était un scan-
dale!

A deux reprises, au cours de ses allées et venues,
Peggy flaira une dangereuse odeur de myosotis.
Cela serpentait entre les hangars comme le tenta-
cule d'une pieuvre invisible.

— Hé! cria-t-elle. C'est toi, Clara? Laisse-moi
tranquille. Je ne suis pas ton ennemie. Je ne veux
pas te voler Michel, j'ai déjà un fiancé. Tu
m'entends?

Comme elle ne se sentait pas en sécurité, elle
coiffa son masque. Cela eut pour conséquence
immédiate de la faire transpirer. Le caoutchouc
lui déclencha d'horribles démangeaisons. Elle
comprit qu'à ce rythme-là elle serait bientôt couverte de boutons et n'oserait plus se montrer à
Sebastian.

« Comment vais-je faire pour dormir? se
demanda-t-elle. Faudra-t-il que je me couche en
conservant cette affreuse cagoule sur la figure? »

Dans ce cas, elle craignait fort, en se réveillant le lendemain, de ressembler à la sœur du crapaud péteur de Granny Katy, tant son visage disparaîtrait sous les pustules!

— Hé! chuchota-t-elle à l'intention du vent, tu connais quelque chose, toi, aux fantômes parfumés qui rôdent sur l'aéroport?

— Oui, fit la bourrasque qui venait de vider sa troisième bonbonne de nourriture, ils sont dangereux pour les humains. Ce sont des pleurnicheurs qui ne se remettent pas d'avoir perdu leur corps! Quelle drôle d'idée! Moi, c'est avoir des bras, des jambes, une tête, qui me semblerait horrible! Comment peut-on supporter d'être enveloppé dans toute cette viande? Ça doit être lourd, malcommode... Marcher! Quelle idiotie, alors qu'on peut voler dans le ciel, faire des tourbillons...

— Y a-t-il un moyen de se protéger d'eux? coupa Peggy Sue.

— Mets ton masque et ne le quitte plus, soupira le vent. Sinon, ils s'infiltreront dans tes narines pour te détraquer le cerveau et tu deviendras folle à lier. Ça m'embêterait car tu es plutôt bonne cuisinière et je commence à reprendre des forces. Maintenant que je me sens mieux, explique-moi ce que tu attends de moi.

Peggy s'assit devant le hangar et lui raconta tout des Zêtans et de l'arbre-sorcier.

— D'accord, fit le vent. Je le fais à une condition : tu t'envoles avec moi pour me guider. J'ai un sens de l'orientation épouvantable, si tu n'es pas là pour me piloter, je risque fort de souffler dans la mauvaise direction.

Peggy frissonna. Elle s'imaginait mal volant dans les airs au milieu de la tempête.

— C'est ça ou je ne pars pas, s'entêta le vent. Ne fais pas cette tête. Il y a de grands avantages à partager la course d'une bourrasque, au cas où tu ne le saurais pas. En contrepartie, je te donnerai le pouvoir de voler quinze minutes chaque fois que cela te sera nécessaire. Quand tu éternueras, le souffle jaillissant de tes narines projettera tes ennemis à vingt mètres en arrière... c'est bien, non ?

— Oh, tu sais, soupira Peggy, ces histoires de super-pouvoirs, ça me laisse plutôt froide. Ce sont des trucs de garçon. Moi, je voudrais juste être capable de réussir de formidables tartes aux fruits.

— Ce n'est pas dans mes attributions, grommela le vent. En attendant, c'est à prendre ou à laisser. Tu t'envoles avec moi ou je reste ici.

— D'accord ! D'accord ! capitula Peggy Sue.

Le jour tombait et elle commençait à souffrir des effets de la fatigue. Elle demanda au vent où elle pourrait bien dormir.

— Près de la tour de contrôle, expliqua-t-il, il y a un dortoir pour les cornacs. Mais rappelle-toi : *garde ton masque sur la figure.*

— Bonsoir, fit l'adolescente en étouffant un bâillement. A demain.

Elle s'éloigna entre les baraques de tôle, attentive aux odeurs qui flottaient autour d'elle. Elle répugnait à enfiler la cagoule de caoutchouc.

Alors qu'elle approchait de la tour de contrôle, elle reçut un message télépathique de la Terre. C'était le chien bleu qui s'inquiétait de son silence. Elle lui raconta sa journée.

— Je ne veux pas te presser, dit l'animal, mais ici les choses commencent à sentir le roussi. Les flammes des incendies ont beaucoup diminué au cours des dernières heures. Les Zêtans ont encore grandi. Nom d'une saucisse atomique! Ce qu'ils sont affreux! Je te rappelle qu'il te faudra intervenir dès qu'ils sortiront du feu. En seras-tu capable?

— Je l'espère, fit Peggy Sue. Je devrai chevaucher le vent, mais tant pis, je le ferai s'il n'y a pas d'autre moyen. J'espère seulement qu'il ne me laissera pas tomber en cours de route.

— Je... je voudrais te dire quelque chose, ajouta le chien bleu d'un ton hésitant. Mon instinct me souffle qu'un danger te menace. Sois très prudente.

— Merci, je n'y manquerai pas. Embrasse tout le monde de ma part.

— Si c'est moi qui m'en charge ils n'aimeront pas ça! ricana l'animal avant de couper la communication.

Peggy franchit le seuil du dortoir des filles. C'était comme une colonie de vacances. En moins bruyant, car les jeunes femmes qui travaillaient sur l'aérodrome des tempêtes étaient trop fatiguées, le soir venu, pour mener grand tapage. Peggy Sue se fit indiquer sa couchette et alla se restaurer au réfectoire voisin. Personne ne lui prêta attention. Elle remarqua que les dîneuses étaient affligées de boutons sur les joues et le front. Une affection qui résultait, sans nul doute, du port prolongé des masques à gaz.

« Je voudrais déjà être partie d'ici ! songea Peggy. Espérons que le vent n° 455 sera en pleine forme demain matin et que nous pourrons décoller. »

Ses amis lui manquaient ; en outre, elle avait hâte de mettre un terme à la menace des Zêtans. Sa marge de manœuvre se faisait de plus en plus étroite au fil des heures, elle devait à tout prix intervenir avant que les envahisseurs ne commencent à semer les graines de fleurs carnivores, c'est-à-dire *à la seconde même* où ils poseraient la patte hors des flammes. Si le vent n° 455 lui faisait alors défaut, tout serait perdu... La fin de la race humaine commencerait avec l'éclosion de la première fleur cannibale !

L'appétit lui manquant, elle décida d'aller se coucher.

Quand elle franchit le seuil du dortoir, elle constata que toutes les filles avaient conservé leur masque à gaz pour dormir.

Elle gagna sa couchette en reniflant ; par bonheur, aucune odeur de myosotis ne flottait dans l'air.

« Ça sent plutôt la chaussette sale », se dit-elle, rassurée. Pour une fois, elle se réjouissait d'être entourée de relents de pieds moites.

Elle s'allongea. Ses yeux se fermaient tout seuls. Elle comprit qu'elle allait plonger dans le sommeil comme un sous-marin s'enfonce au cœur des abîmes. D'une main tâtonnante, elle posa la cagoule de caoutchouc sur sa figure. C'était poisseux et un peu dégoûtant. Elle se demanda combien de temps elle serait capable de la supporter.

*

Peggy Sue rêvait qu'elle gambadait sur la piste d'envol de l'aéroport. C'était agréable. Elle avait l'impression qu'en courant jusqu'au bout du tarmac [1] elle parviendrait à toucher la lune.

L'astre des nuits serait-il chaud ou froid? Lisse ou rugueux? Pour sa part, elle l'imaginait sous la forme d'un énorme beignet recouvert de sucre glace. Elle savait qu'elle ne pourrait s'empêcher de mordre dedans. Ce serait formidable!

Elle se mit à courir de plus belle. Pourtant quelque chose la gênait : une odeur de myosotis qui s'attachait à ses pas, lui donnant la migraine.

« Peut-être qu'en courant j'arriverai à la distancer? » se dit-elle.

Elle s'élança en direction de la lune, sur l'aéroport désert.

Soudain, le rêve prit une coloration désagréable. Peggy eut brusquement le sentiment qu'une bête immense galopait sur ses talons. Un monstre invisible, énorme, et qui, dans trois secondes, allait la réduire en pièces. Elle hurla, se débattit. Elle voulait se réveiller...

---

1. Appellation des pistes de décollage en argot professionnel.

Pourquoi n'était-elle pas dans son lit?

Que faisait-elle là, pieds nus, sur la piste d'envol principale?

« J'ai... j'ai marché dans mon sommeil! comprit-elle. J'ai quitté le dortoir au cours d'une crise de somnambulisme... Je suis *réellement* sur la piste d'envol! »

Portant ses mains à son visage, elle se rendit compte qu'elle ne portait plus son masque à gaz.

« J'ai dû l'ôter pendant que je dormais, se dit-elle. Il me gênait trop. »

Elle regarda par-dessus son épaule. Un tourbillon immense courait droit sur elle. Une sorte de cyclone de brouillard qui ressemblait à un serpent.

Alors qu'elle se croyait perdue, quelqu'un la saisit par le bras et la jeta dans le fossé bordant la piste.

— Michel! haleta-t-elle, c'est toi?

— Oui, souffla le garçon. Bon sang! Tu veux te suicider? Qu'est-ce que tu fiches au beau milieu de la piste? Tu ne vois pas qu'une tempête est en train de décoller?

Un grondement terrifiant passa au-dessus de leurs têtes. Pendant un moment, ils crurent que l'aspiration allait les entraîner à la suite du cyclone, puis le calme revint.

— Je... je ne sais pas ce qui s'est passé, bredouilla Peggy. Je dormais et...

— Tu n'as pas ton masque, grogna Michel. Je t'avais pourtant bien dit de dormir avec! Oh! j'ai compris : c'est Clara. Elle s'est glissée dans le dortoir pour s'introduire dans tes narines. Elle a pris le contrôle de ton cerveau, puis de ton corps. Elle t'a manipulée comme une marionnette pour t'amener ici, elle voulait que tu sois mise en pièces par le cyclone.

— Oh! bégaya Peggy, l'odeur de myosotis, c'est pour ça... et j'ai très mal à la tête.

— Tu n'aurais pas dû enlever ton masque, répéta Michel. Clara est d'une jalousie maladive. Elle a déjà causé la mort de plusieurs filles sur l'aérodrome. On ne peut rien contre elle. Elle s'imagine toujours que je vais la remplacer par une autre, il n'y a pas moyen de lui faire entendre raison. Si elle a décidé de s'en prendre à toi tu es mal barrée. Mieux vaudrait que tu t'en ailles le plus vite possible. Ce soir, il s'en est fallu d'un cheveu. Tu as eu de la chance que je sois de service de nuit, sinon...

— Merci, haleta Peggy Sue. Je partirai dès que le vent n° 455 sera en état de décoller. Il veut que je m'envole avec lui, tu crois que je peux?

Michel fit la grimace.

— A toi de voir, grommela-t-il. C'est vrai que le 455 n'a pas un bon sens de l'orientation, mais il te faudra faire attention. Les vents sont parfois fourbes, ils changent d'idée de la même façon qu'ils font pivoter les girouettes. Une seconde ils pensent un truc, et le contraire la seconde d'après. Ton 455 peut très bien décider tout à coup que tu es trop lourde, que tu le ralentis, et te laisser tomber dans le vide. Sois très prudente.

— De toute manière je ne peux pas rester ici, gémit Peggy Sue.

— Ça c'est sûr, souffla Michel en se redressant. Clara finirait par avoir ta peau d'une manière ou d'une autre.

Vision du futur?

Peggy Sue est épuisée. Elle marche depuis trop longtemps entre les tiges des fleurs carnivores, et cette progression a fini par avoir raison de ses dernières forces.

Si l'on veut avoir une chance de survivre, il faut se déplacer la nuit, quand les drosera horribilis *sont assoupies. Le jour, c'est impossible, il faut rester caché au fond des terriers, des cavernes. Si l'on met le pied dehors, elles vous attrapent et vous dévorent aussitôt.*

C'est comme ça que le chien bleu est mort. Il ne supportait plus de vivre dans le noir, sous la terre. « *Comme un lapin...* » *répétait-il. L'enfermement l'avait rendu nerveux et méchant. Il refusait d'écouter les recommandations de Peggy. Un beau matin il s'est faufilé hors du terrier et...*

Peggy Sue a beaucoup pleuré.

C'est fini, on ne peut plus rester dans les maisons. Les plantes carnivores poussent le long des façades, comme le lierre, elles s'introduisent par les fenêtres pour capturer les humains. On n'est nulle part en sécurité, il a fallu se résoudre à abandonner les villes.

En six mois beaucoup de gens ont été dévorés.

Granny Katy est morte ainsi.

Elle était trop vieille, elle ne courait plus assez vite. Peggy Sue n'a rien pu faire pour l'aider.

Les fleurs sont partout. En moins de trente jours elles ont recouvert la totalité du pays.

*

Peggy Sue se réveilla en sursaut. Une sueur d'angoisse lui mouillait le visage.

« Le cauchemar, se dit-elle avec horreur. Encore lui! Pourquoi me harcèle-t-il? Est-ce vraiment ce qui va se produire? »

Trois minutes avant la fin du monde, attachez vos ceintures...

Peggy Sue eut beaucoup de mal à retrouver le sommeil. De retour au dortoir, elle ne put fermer l'œil car elle tremblait à l'idée d'arracher de nouveau son masque dès qu'elle serait endormie. A deux reprises, soulevant le groin de caoutchouc pour humer l'air, elle surprit un parfum de myosotis rôdant entre les couchettes. *Clara était là, à la recherche d'une victime...*

Quand le soleil se leva, Peggy était dans un état d'épuisement avancé, malgré cela, elle courut à la cuisine pour préparer le repas du vent n° 455. Elle s'activa, mélangeant les crissements de cigales aux bourdonnements d'abeilles, y ajoutant du parfum de sapin qu'elle saupoudra d'un roulement d'avalanche. Elle espérait que ce cocktail d'énergie conviendrait à son protégé.

Alors qu'elle sortait du bâtiment, elle reçut un nouvel appel télépathique du chien bleu.

— Grouille-toi! lui cria-t-il. Cette fois ça y est, les flammes des incendies ne mesurent plus que trois mètres. Les Zêtans ont mangé presque tout le feu. *Ils vont sortir d'un moment à l'autre.* Tu dois te mettre en route, après il sera trop tard !

— D'accord, haleta l'adolescente. Je vais libérer le vent. J'espère qu'il aura récupéré assez de force pour voler jusqu'à Aqualia.

— Fais vite ! supplia son compagnon à quatre pattes. Dans un quart d'heure ce sera le début de la fin du monde. On voit bien les Zêtans, à présent. Ce sont des dinosaures assez moches. Ils ont des espèces de poches accrochées aux avant-bras, des poches remplies de graines. Dès que le feu sera éteint, ils commenceront à semer les fleurs carnivores en libérant ces semences aux quatre vents.

— J'arrive, balbutia Peggy qui courait vers le hangar. J'espère que l'arbre-sorcier ne fera pas de difficulté pour nous céder ses feuilles.

Hors d'haleine à cause du masque à gaz qui l'empêchait de respirer convenablement, elle atteignit enfin l'entrepôt 455. Pendant que le vent aspirait le contenu de la bonbonne nourricière, elle lui annonça que l'heure de la mission avait sonné.

— D'accord, ulula la bourrasque. Je me sens un peu faible mais je ferai mon possible pour t'aider. Tu m'as bien servie et j'aimerais que tu deviennes mon cornac. Ici, personne ne s'est jamais occupé de moi comme tu l'as fait.

— On en reparlera plus tard, s'impatienta Peggy. Il faut y aller. Je vais ouvrir les portes, tu es prêt ?

— Parfaitement, place-toi devant l'entrée du hangar, face à la piste, je vais t'enlever dans les airs au moment du décollage. Essaye de ne pas vomir, ça ferait mauvais effet.

Les mains tremblantes, Peggy déverrouilla les portes métalliques et les fit coulisser. Elle essayait de ne pas céder à la panique. Du coin de l'œil, elle distingua une sorte de tourbillon brumeux qui bouillonnait au fond de l'entrepôt. C'était le vent 455 qui se ramassait comme un ressort pour prendre son élan et bondir dans le ciel.

Les dents serrées, Peggy Sue lui tourna le dos et se plaça face à la ligne d'horizon.

« Pourvu qu'il ne me déforme pas... » se dit-elle en pensant aux cornacs malheureux que les tempêtes avaient transformés en tire-bouchons humains.

Quelque chose d'énorme jaillit du hangar avec un vacarme de train fantôme roulant au travers d'une avalanche, cette force invisible l'arracha du sol et la transporta au-dessus de la piste à une vitesse incroyable.

« C'est comme si je volais ! » constata l'adolescente glacée d'effroi.

Elle semblait ne peser plus rien dans les mains du vent. Elle avait si froid qu'elle claquait des dents. Le frottement de l'air sur son corps était si vif qu'elle avait l'impression que sa chevelure allait lui être arrachée d'une minute à l'autre.

L'aérodrome des tempêtes s'éloigna derrière elle. Très vite, il prit la taille d'un timbre-poste, puis disparut tout à fait.

— Ça va ? lui demanda le vent. Tu n'as pas le vertige ?

— Si ! gémit Peggy. Ne me lâche pas, surtout !

— Je vais faire de mon mieux, assura la bourrasque. Mais si les forces viennent à me manquer, je ne pourrai plus te retenir et tu tomberas comme une pierre. Je n'y peux rien.

— Tu aurais pu me le dire avant ! protesta l'adolescente.

— A quoi bon, soupira le vent, ça t'aurait effrayée encore plus. De toute manière il fallait que tu viennes car je ne sais pas où je dois me rendre. Je ne connais pas cette partie du pays, je n'ai pas l'habitude de souffler dans ce coin-là.

Grelottant de peur et de froid, Peggy Sue se força à scruter le paysage qui défilait au-dessous d'elle. Les villages étaient à peine plus gros que des boîtes d'allumettes, les voitures scintillaient au soleil comme des têtes d'épingles.

« Où est le lac ? se répétait-elle. Un lac de cette taille, ça doit pourtant être facile à localiser ! »

Au même moment, la voix affolée du chien bleu grésilla dans sa tête.

— Peggy ! Peggy ! hurlait-elle. Ça y est ! Tous les incendies sont éteints ! Les Zêtans sont en train de sortir des décombres... Ils regardent autour d'eux... C'est maintenant ou jamais.

— J'arrive, répondit l'adolescente qui venait juste de repérer la tache luisante du plan d'eau d'Aqualia. Accrochez-vous, ça risque de souffler.

Puis, s'adressant au vent, elle dit :

— Pique sur la forêt. Passe au ras des cimes. Quand tu verras un grand arbre qui dépasse les autres, arrache toutes ses feuilles et pousse-les devant toi jusqu'à la ville. Là, tu les lâcheras de manière qu'elles tourbillonnent au long des rues.

— Compris, fit le vent. Attention, j'entame mon piqué.

Peggy Sue hurla de terreur en voyant le sol se rapprocher à une vitesse vertigineuse, mais la bourrasque corrigea sa course à la dernière seconde, rasant au plus près l'étendue verte de la forêt. L'arbre-sorcier se voyait de loin car il était beaucoup plus grand.

— N'enlève que les feuilles, cria Peggy. N'aspire pas les gens qui sont accrochés aux branches !

Elle espérait de tout son cœur que l'arbre légendaire ne reviendrait pas sur sa décision au dernier moment. S'il se cramponnait à ses feuilles, refusant de les lâcher, tout était perdu.

— Impact dans trois secondes, annonça le vent.

Peggy Sue aurait voulu fermer les yeux, mais elle était si terrifiée qu'elle ne contrôlait plus son corps. L'arbre grossissait. A la moindre erreur d'estimation elle s'écraserait sur son tronc comme une mouche sur un pare-brise.

— Impact dans deux secondes, fit le vent.

D'un seul coup, il fondit sur l'arbre légendaire, soulevant un monceau de feuilles qu'il rassembla en une boule compacte.

— Sur la ville, maintenant ! ordonna Peggy. Droit sur la ville !

— Quelle est la cible ? s'enquit le vent.

— Les dinosaures qui se promènent dans les rues, balbutia l'adolescente. Tu dois leur souffler les feuilles au visage. Chacun doit recevoir la sienne, c'est capital.

— OK, ulula la bourrasque, accroche-toi.

Peggy Sue, les yeux écarquillés, vit les toits d'Aqualia se rapprocher à vive allure. Le chien bleu n'avait pas menti : tous les incendies étaient éteints. De grosses bêtes écailleuses se dandinaient dans les rues. Elles ressemblaient à des tyrannosaures, mais en beaucoup plus sympathique. Pour l'heure, elles se déplaçaient encore maladroitement, tels de jeunes enfants faisant leurs premiers pas. Elles inclinaient la tête à droite et à gauche pour contempler le paysage qui les entourait.

— Les Zêtans, haleta Peggy Sue, il y en a partout !

Comme on le lui avait demandé, le vent amorça un virage serré au-dessus de la ville et commença à éparpiller le nuage de feuilles magiques. Il allait, venait, tournait, virait, veillant à ce que les dinosaures soient tous balayés par la bourrasque. Peggy Sue, qui avait trop mal au cœur, ne put s'empêcher de vomir sur la tête de l'un d'entre eux.

— Ça y est, annonça le vent 455 au bout d'une interminable demi-heure de tempête, je crois qu'ils ont tous été aspergés.

La jeune fille lui ordonna de faire un nouveau passage afin qu'elle puisse s'assurer du succès de la mission. Effectivement, les Zêtans s'étaient immobilisés pour chiffonner entre leurs mains écailleuses une petite feuille verte couverte de mots magiques tracés à la sève. Bien qu'il fût difficile de donner un sens aux mimiques agitant leur sinistre gueule, on eût dit qu'ils souriaient.

— Ça a marché! triompha Peggy Sue. Ça y est! Ils ont touché les feuilles, les voilà prisonniers des légendes qu'elles racontent. Désormais, ils ne penseront plus à semer leurs horribles graines carnivores.

— Je suis content, affirma le vent. Cette petite aventure changeait de la routine habituelle. Hélas, je dois regagner mon hangar maintenant, j'ai usé toute mon énergie à jouer les cyclones, ce qui n'entre pas dans le cadre de mes attributions. Où veux-tu que je te dépose?

— A l'entrée de la ville, dit Peggy. Pas trop loin de l'arbre-sorcier.

— Tu verras, fit malicieusement le vent en posant Peggy Sue au sommet d'une colline, je me suis amusé à te donner quelques super-pouvoirs. Fais attention quand tu éternueras! Tu pourrais bien déraciner un arbre!

— Je t'avais dit que je ne voulais pas! protesta l'adolescente.

— J'aime bien faire des blagues, lança son interlocuteur invisible en prenant de l'altitude. N'oublie pas mon numéro, le 455. Si un jour tu as besoin de moi pour une autre aventure, n'hésite pas à m'appeler!

— Hé, attends! cria Peggy.

Mais elle sentit qu'elle était seule. La bourrasque avait grimpé droit dans le ciel pour rejoindre l'aéroport des tempêtes avant d'être à court de « carburant ».

Titubante, la jeune fille descendit le versant de la colline pour se diriger vers l'entrée de la ville.

Le chien bleu, Sebastian et Granny Katy l'attendaient là. Ils s'étreignirent avec chaleur, heureux de se retrouver.

Une fois ces effusions terminées, ils entreprirent d'explorer la cité d'un pas prudent.

La présence des Zêtans les effrayait un peu, car ils n'avaient, ni les uns ni les autres, l'habitude de voir des dinosaures déambuler au milieu des avenues en souriant d'un air idiot.

— C'était une idée géniale, murmura Sebastian en passant son bras autour des épaules de Peggy Sue. Tu as vu ? Ils sont complètement déconnectés de la réalité ! Ils ne se rendent même plus compte de ce qui se passe autour d'eux. Ils écoutent les histoires racontées par les feuilles magiques.

— L'important, c'est qu'ils oublient de semer leurs affreuses graines, grogna le chien bleu. Mais qu'est-ce qu'on va faire d'eux ? S'ils ne mangent pas ils mourront. Cela nous débarrasserait d'eux !

— Je ne veux pas les détruire, protesta Peggy Sue. Je préférerais qu'on les charge dans une fusée et qu'on les ramène sur leur planète d'origine, là où ils ne pourront pas nous faire de mal.

— Excellente idée, déclara Granny Katy. Là-haut, n'ayant rien à manger, ils se transformeront de nouveau en galets et cesseront de semer la destruction dans le cosmos.

— Vous êtes trop gentilles, grommela le chien bleu. Moi je les laisserais crever de faim, oui ! Après tout, ils ont bien failli condamner l'humanité entière à finir entre les mâchoires de leurs plantes carnivores !

Un bon coup de balai

Les Zêtans restèrent hypnotisés par les légendes de l'arbre-sorcier. Les yeux mi-clos, ils déambulaient à travers les rues d'Aqualia sans prêter la moindre attention à ce qui les entourait. On eût dit des somnambules géants se promenant d'un pas hésitant. Parfois même, ils entraient en collision. Mais ces chocs ne parvenaient pas à les tirer de leur demi-sommeil. Ils restaient définitivement ailleurs, perdus dans l'univers légendaire que les chuchotis des feuilles magiques faisaient éclore dans leur tête.

La population cessa peu à peu d'avoir peur d'eux. Beaucoup exigèrent qu'on les tue sans attendre, mais Peggy Sue obtint que le spationaute Legriffu les ramène sur Zêta. On se dépêcha de les charger dans les cales de la fusée car ils maigrissaient à vue d'œil et Peggy commençait à redouter qu'ils ne meurent de faim sans même en avoir conscience.

— Une fois là-haut, expliqua-t-elle à Legriffu, relâchez-les, puis confisquez-leur les feuilles, pour qu'ils se réveillent. Dès que ce sera fait, fichez le camp aussi vite que possible.

— Mais ils vont redevenir des cailloux, observa le spationaute, ce sera le seul moyen dont ils disposeront pour survivre dans ce monde mort.

— C'est bien ce que j'espère, soupira Peggy. Ils ont causé assez de dégâts comme ça! Ah! encore une chose : ne touchez pas les feuilles à mains nues, *mettez des gants*... Quand vous les aurez récupérées, ramenez-les sur la Terre, nous les recollerons sur les branches de l'arbre-sorcier, c'est bien le moins que nous puissions faire pour le remercier.

*

Quand Legriffu se fut envolé avec sa cargaison monstrueuse, on entreprit de rebâtir la ville. Les galets furent repoussés au fond du lac. Les baleines, les téléphones portables et les reptilons avaient cessé de fonctionner dès que les Zêtans étaient sortis des flammes. A présent, ce n'étaient plus que des carcasses inertes, des machines mortes qu'on jeta aux ordures.

Les maisons de fumée s'évaporèrent et les gens gris s'éveillèrent enfin de l'enchantement qui les avait transformés en serviteurs du feu. Ils ne se souvenaient de rien.

Bref, tout rentra dans l'ordre.

Peggy Sue et Sebastian eurent toutefois du mal à décider Martine et son père à descendre de l'arbre légendaire. Ils avaient pris goût aux légendes et, comme les Zêtans, ne faisaient plus rien qu'écouter le murmure fascinant des feuilles conteuses d'histoires. Il fallut les arracher de leur perchoir en employant la force. Ils ne réintégrèrent le monde réel qu'en grommelant, et de fort méchante humeur.

Peggy Sue se demanda s'ils ne s'empresseraient pas de remonter dans l'arbre dès qu'elle aurait le dos tourné.

Voilà, je crois que je n'ai rien oublié...

Quand la vie eut repris son cours normal, Granny Katy ouvrit une pâtisserie en bordure du lac et Sebastian devint maître nageur, activité qui lui permettait d'être constamment au contact de l'eau.

Un jour, alors que Peggy Sue et Sebastian se promenaient en amoureux au bord de l'eau, le chien bleu grogna :

— Cette aventure est donc terminée? Nom d'une saucisse atomique, je m'ennuie déjà! Je l'ai toujours dit : il n'y a rien de plus casse-pieds que le bonheur.

Et, levant le museau vers le ciel, il aboya :

— Ho! Les fantômes, où vous cachez-vous? Allez-vous vous décider à revenir, oui ou non?

(A suivre...)

Le courrier des lecteurs

Merci à tous, vous êtes formidables!
Serge Brussolo vous adresse ses remerciements les plus chaleureux pour le soutien que vous lui apportez. Mails, lettres, dessins, photos, poupées magiques, vous avez utilisé tous les moyens d'expression pour nous faire part de votre désir de continuer à lire les aventures de Peggy Sue. L'auteur a essayé de répondre le plus souvent possible, mais vous êtes devenus si nombreux qu'il a été dépassé par les événements et a dû choisir entre terminer le 4ᵉ tome que vous réclamiez tous... ou envoyer une lettre à chacun d'entre vous!
Ça ne fait rien, continuez à écrire! Tous vos courriers seront lus par Serge Brussolo, promis, juré!
Pour cela, une seule adresse :

Peggy Sue et les fantômes
Editions PLON
76 rue Bonaparte. 75284 Paris Cedex 06

PS : Certains de vos courriers étant très longs, nous n'avons pu en publier que des extraits.

Un chien qui parle ! N'importe quoi ! Ça n'existe pas ! Vous devez être complètement naze pour inventer des trucs comme ça. J'ai horreur des livres qui racontent des choses qui n'existent pas.
Lucie.

Je m'appelle Tristan. J'adore Peggy Sue. C'est extraordinaire comme roman. J'ai dévoré les 3 tomes. J'ai franchement flashé sur *le sommeil du démon* et *le papillon des abîmes*. Il y a du suspens du début à la fin. Ça me serre le cœur, c'est trop excellent. Je le recommande aux bébés comme aux vieux.
Tristan. 12 ans (Annecy).

Vous êtes trop nul. Vous n'avez aucune imagination. On devrait vous empêcher d'écrire !
Anne-Marie.

Continuez, par pitié ! Cela nous change tellement des livres embêtants (j'avais d'abord écrit un gros mot !) que les profs nous forcent à lire au collège ! Beaucoup de mes copains détestent la lecture à cause de ça. Et puis vous êtes un auteur français, ça change ! D'habitude les Français ne sont pas très délirants, ils écrivent un peu comme s'ils voulaient nous donner des leçons, c'est pé-ni-ble !
Matthieu. 13 ans et demi.

Des personnages ridicules : une fille bigleuse, moche comme un pou, et un cabot crétin ! Qui peut s'intéresser à ça ? Vous êtes la honte de la littérature française ! Pauvre type, va ! Vos parents doivent avoir honte de vous !
Sophie.

J'adore la série des « Peggy Sue ». Je trouve que ce sont des livres très originaux et différents des autres. Serge Brussolo a une imagination débordante et j'espère qu'il y aura une suite aux aventures de Peggy.
Léa, 13 ans, de Lyon.

Je trouve Peggy Sue 100 % top délire !!!
Je pense que Peggy Sue et Harry Potter feraient un beau couple.
Mais j'insiste quand même : Peggy Sue est super, méga, hyper, ultra, master géniale !!!
(Je suis un des meilleurs fans de Peggy Sue).
Gaspard. 10 ans.

Je voudrais vous féliciter pour les très bon livres (les mots sont trop faibles !) que vous nous écrivez. Pour résumer, il n'y a pas de mots pour décrire la façon dont vous nous surprenez. Je vous tire mon chapeau, je vous fais la révérence, je vous félicite et je vous applaudis.
Mélissa. 13 ans. Belgique.

Votre livre, le tome 3, *Peggy Sue et le papillon des abîmes*, est super. Je l'ai lu d'une traite et après j'ai regretté d'avoir lu ce livre aussi vite.

D'habitude, pour lire 300 pages, je mets 4 jours et là, j'ai mis une demi-journée. Enfin bref, j'espère qu'il y aura au moins 40 tomes, sinon, je regretterai toujours ces livres.

Alexandra. 11 ans.

Je trouve que les jeunes qui lisent Peggy Sue et Harry Potter perdent leur temps. Ils feraient mieux de lire des choses utiles pour le collège, et qui leur permettraient de réussir aux examens. Balzac ou Voltaire. Je déteste le fantastique et les histoires de sorciers. Tout ça n'existe pas. C'est du temps perdu.

P-S : je vous signale que j'envoie la même lettre à J.K. Rowlings.

Noémie. 14 ans.

Tout ça c'est des romans pour filles idiotes.
(non signé)

Je voudrais remercier Monsieur Brussolo pour avoir créé un livre aussi bien que Peggy Sue. Moi qui n'aime pas beaucoup lire, je dévore les histoires fascinantes de Peggy Sue.

Mathilde.

Vive Harry Potter! Vive Harry Potter! Vive Harry Potter! Vive Harry Potter! Vive Harry Potter! Vive Harry Potter! Mort à Peggy Sue!

Thibault. 10 ans.

Salut moi c'est Sarah, j'adore Peggy Sue car on n'a pas l'impression de lire, on a plutôt l'impression de vivre les aventures extraordinaires de Peggy. J'ai jamais lu un livre avec tant de passion et avec un volume aussi gros. Je voudrais dire à l'auteur de Peggy Sue, (M. Brussolo) que je lui tire mon chapeau pour avoir autant d'imagination. Ce qui est bien dans vos livres c'est que vous avez le truc pour que, quand on les lit, on ne les lit pas : on les dévore, on les adore et on vit avec passion. J'espère que vous n'êtes pas trop vieux pour continuer la série Peggy Sue, et aussi j'encourage tout le monde à lire vos œuvres.

Sarah. 12 ans.

Je trouve Peggy Sue et Henry (*sic*) Potter totalement nazes. Je préfère les Pokémons, et surtout Pikachu. Je déteste les romans, je n'aime que les BD.

Kévin le Terminator number One.

Salut !!!!!!!! Voilà je me présente Maureen, 14 ans. Je suis une fille comme les autres mis a part que je fais partie du monde merveilleux de Peggy Sue !! Je viens de lire le tome 3 et il est aussi fantastique que les 2 premiers. Il n'y a pas de mots pour définir l'extase que j'ai quand je me plonge dans la lecture de ce livre. Moi qui adore la lecture je ne peux pas passer une bonne journée si je n'ai pas lu 2 livres au moins dans la journée.

Les Peggy Sue je les connais par cœur ; chaque dialogue, chaque murmure prononcé par Peggy je le connais.

EXTRAORDINAIRE !!!!!!!!!!!!!!!!!!!!!! NON ?????
Mais pas aussi extraordinaire que vous monsieur
Brussolo car c'est grâce à des gens comme vous, qui
font honneur à la littérature française, qu'il y a de
plus en plus de personnes qui se plongent dans les
livres et c'est pour ça que je vous remercie. Les pro-
fesseurs essayent d'initier leurs élèves à la lecture
alors que vous, il vous suffit d'écrire une phrase
pour que les gens, même les plus réticents, se
mettent eux aussi à lire, car cela ne devient plus de
la lecture mais l'envie d'aller jusqu'à la fin, de lire
la suite ou même de lire d'autres livres ! Continuez
sur cette lancée, monsieur, vous êtes un être géné-
reux qui sait donner de son temps pour rendre heureux les gens qui vous entourent. Et cela est très
beau il n'y a pas beaucoup de gens qui possèdent
votre qualité d'écrire. Monsieur, je vous le répète,
vous avez un don pour l'écriture. Mais là, je fais un
roman moi aussi (rires). Parlons un peu du livre
maintenant : fantastique, captivant, triste, émotion-
nel et sublime !!!!!! Voilà comment je qualifierai
votre livre, et je ne pense pas être la seule. Sébastian
et Sean me font beaucoup rire car ils s'accrochent à
Peggy Sue mais cela aussi c'est quelque chose de
fantastique, c'est l'amour. Et vous, vous savez donner de l'amour avec un simple stylo et votre imagination. Et bien, si je continue je crois que j'écrirais
plus de pages que vous n'en avez écrit pour vos
livres donc bye et bonne continuation.
PS : Ne vous arrêtez jamais d'écrire !
MAUREEN. 14 ans.

C'est encore plus endormant que le premier. C'est à pleurer du manque d'imagination.
note : 0/10
Oriane **fnac.com**

Un ramassis de débilités pour lecteurs encore plus débiles! La science-fiction et le fantastique devraient être interdits à l'affichage en librairie! Tout ce qui est irréel me fait horreur.
Jacques, étudiant.

Je trouve votre livre tellement fantastique que j'ai presque oublié Harry Potter. Je suis fan de vos livres. Quand je lis je ne peux plus m'arrêter. Il m'arrive de faire des rêves où je suis dans le livre. Ce livre est trop bien et j'adore votre imagination. J'espère que vous ferez d'autres livres, c'est trop géant!!!!
Bertrand. 13 ans.

Énorme déception!
note : 0/10 **fnac.com**

J'adore Peggy Sue!!!!! J'ai lu 5 fois chaque livre!!! A quand le prochain livre??? Vous avez vraiment beaucoup d'imagination pour faire un livre aussi COOOOOOL!!!!!!!!!!!!!!!! Si Peggy existait, ce serait ma meilleure amie!!!! Est-ce qu'il existe un fan-club???? Gros bisous à Peggy Sue et à l'écrivain!!!
Marjolaine.

Je n'aime pas Peggy Sue, je la déteste. Je préfère largement mieux Harry Potter. Je ne trouve pas du tout cette histoire prenante. J'ai lu le premier tome que j'ai trouvé moyennement bien, mais quand j'ai commencé le deuxième je me suis arrêtée au bout de quelques chapitres tellement c'était sans intérêt. S'il fallait mettre une note au livre Peggy Sue, je lui aurais mis 0/10, par contre j'aurais mis 10/10 à Harry Potter. Vraiment, ne faites pas trop de publicité pour un livre d'une aussi petite importance et imagination. Je n'aime pas le chien bleu, il est bête. Je n'aime pas quand Peggy Sue lui parle par transmission de pensée.

Audrey.

Moi, je trouve Peggy Sue super bien, et je dis que tous ceux qui ne l'aiment pas ne savent pas lire.

J'ai lu les trois et je les ai tous adorés.

Ursula. 11 ans et demi.

On s'endort. Un massacre !
note 0/10 **fnac.com**

Je m'appelle Dounia et j'ai 10 ans. Je suis fan de Peggy Sue et du chien bleu. C'est vraiment fantastique et je le conseille à tout le monde entre 8 et 100 ans. Quand on est dedans, on ne peut plus s'arrêter. C'est donc pourquoi j'ai lu les trois livres en un mois. C'est mieux que tous les livres du monde (je n'exagère pas du tout). Voilà bravo

M. Brussolo et s'il vous plaît continuez d'écrire vos merveilleuses histoires.

Sincèrement, Dounia. 10 ans.

Salut Peggy Sue, le chien bleu...

J'ai adoré les livres ils étaient tous cool. Je préfèrent particulièrement le 3ᵉ tome. J'ai dévoré vos livres...

note : 100/100 et un grand BRAVO !!!!!!!!!!!!!!!!!!!!!!!!!
Anne-Sophie. 11 ans.

J'ai lu les tomes 1, 2 et 3 et j'ai trouvé cela super génial ! C'est beaucoup mieux que Harry Potter (je n'ai même pas fini le 1ᵉʳ), ce n'est pas du tout la même chose !!!!!!

A la fin du tome 3, j'ai lu le courrier des lecteurs. Il y avait quelques lettres qui ne m'avaient pas plu (c'était bien sûr des mecs !). Eux ce qu'ils voulaient c'était du sang, des horreurs, des épées, des chevaliers, etc....

Si je peux vous donner un conseil : essayez de faire un 4ᵉ, voire un 5ᵉ tome de « Peggy Sue et les fantômes ».

Je vous encourage de tout mon cœur.
Sabine. 14 ans.

Personne, même dans dix milliards d'années ne pourra détrôner Harry Potter !!!!
Max, le sorcier suprême.

J'ai adoré les deux premiers tomes de Peggy Sue. C'était franchement **SUPER GÉNIAL**. Je pense que mon préféré est le troisième tome. Peggy Sue est un de mes deux livres préférés. Mes trois moments préférés sont quand Peggy et le chien bleu descendent dans les abîmes, vont dans le château qui se détruit au moindre rayon de soleil, et le troisième est quand ils se débarrassent des Invisibles.

Y aura-t-il un quatrième tome et de nouveaux monstres comme les Invisibles ou pire encore?

D'habitude, ce n'est pas mon genre de livres. **Mais alors là, Serge Brussolo ne manque surtout pas d'imagination!**

FÉLICITATIONS!!!!

Bonjour je m'appelle Rodrigue j'ai 12 ans et je passe en 4ᵉ. Je voulais vous dire que j'ai lu les 3 tomes de Peggy Sue hyper vite tellement c'est hyper génial!!

L'histoire est pleine de suspens et je la recommande à tout le monde de 1 à 111 ans!!

Rodrigue. 12 ans.

Le talent à l'état pur, tel est Serge Brussolo; ses romans sont réellement aussi bons que Harry Potter, mais plus « adulte ». Merci de tout ce plaisir de lecture!

Laurent.

Faites d'autre livres!
Pitié! Pitié!
Marie-Elodie.

Hello je suis sûrement pas le premier ni le dernier à dire ça, mais : PEGGY SUE C'EST TROP MORTEL. A mon avis ce livre devrait être déclaré meilleur livre de la terre !!!! Mais qu'est-ce que je dis moi ? De L'UNIVERS !!!!!!...
Benji.

J'ai trouvé les livres de Peggy Sue magnifiques. J'aimerais que les profs nous fassent étudier ce livre plutôt que de vieux livres. Bravo à M. Brussolo, quelle superbe imagination.
Myrtille. 13 ans.

Bravo, s'il vous plaît, n'arrêtez jamais.
Chloé.

Je m'appelle Aude, j'ai 12 ans et j'ai vraiment adoré les 3 tomes de Peggy Sue ! Je trouve ces livres géniaux !!!!!! Je les ai dévorés sans aucune pitié !!! J'adore Peggy Sue car elle est différente des autres et je suis carrément amoureuse de Sebastian !!!!!! Je trouve le chien bleu A-DO-RABLE !!!!!!
Aude. 12 ans.

Autant le 1er livre était intéressant par son origi-nalité, autant celui-ci est désespérant. C'est déce-vant.
Note 4/10 **fnac.com**

Vos livres sont incroyables.

J'essaye de ne pas les lire trop vite sinon à la fin je suis triste parce que j'attends votre livre prochain, et c'est trop long !!!!

Je vous adore !!!!

Marie-Laurence.

Je trouve que les 3 tomes de Peggy Sue sont passionnants, romantiques, humoristiques, et même parfois à mourir de peur !!!!!!!!!!!!!!!!!

C'est pour ça que je voudrais remercier absolument Serge Brussolo pour avoir inventer ces aventures à nous en couper le souffle.

FÉLICITATIONS !!!

Comme ma mère et mes tantes qui possèdent tous vos livres, je suis une grande fan de vous !!! Je connais tous vos petits chef-d'œuvres. Je voudrais savoir à quel âge vous avez commencé à écrire ?

Léa. 13 ans.

J'aime bien la série Peggy Sue mais c'est loin de valoir Harry Potter pour une seule raison : il y a trop d'amour et pas assez de crimes ! Sinon le reste est assez réussi, mes compliments à Serge Brussolo !

Alexandre. 11 ans.

Je n'avais jamais entendu parler de Peggy Sue : ma mère était tombée dessus. Il y a trois ans, on s'était arrêté (ma mère, une de ses amies, et moi) devant une sorte de petite librairie. Nous regardions les livres jusqu'à ce que ma mère tombe sur ce livre : je ne m'attendais pas à acheter un livre de ce genre, mais je l'ai quand même fait.

Je ne l'ai pas lu tout de suite : c'est seulement un an après que je l'ai ouvert et commencé par le lire.

Je ne lisais pas beaucoup de livres étant plus petit : je n'en avais même jamais fini un ! En commençant à lire ce livre, je ne pouvais plus m'arrêter : j'étais embarqué dans la fantastique histoire de Peggy Sue.

Depuis que j'ai lu le livre de Peggy Sue, je n'arrête pas de lire des livres : Peggy Sue m'a donné envie de lire et m'a montré que les livres pouvaient être intéressants, et depuis, j'adore lire.

Peggy Sue est un livre pour les personnes de tout âge : ma grand-mère les lit !

A bientôt !

Bastian. 12 ans.

Je m'appelle Camille et j'ai 12 ans, je viens de finir de lire l'histoire avec le chien bleu, j'ai bien aimé ! C'est une copine qui m'a prêté le livre et elle a bien fait.

Camille. 12 ans.

J'ai lu le tome 1 et le tome 2. Le 1 est presque nul. Mais le 2 c'est plus fort que tout ! C'est super. Je suis en train de lire le 3e. Pour l'instant, ça va mais ce sera toujours le 2e le mieux. Après tout, c'est dans ce livre que Sebastian et Peggy se rencontrent et ça ne s'oublie pas ! J'attends avec impatience le retour de Peggy Sue Fairway. Donc le tome 4 et 5. Mais je ne presse pas Serge Brussolo car il s'est donné beaucoup de mal pour nous impressionner avec ses tomes 2 et 3!

Audrey. 10 ans.

Hyper-méga-super-génial!
Vos livres sont vraiment fantastiques!!!! J'espère qu'il y aura un 4! Pouvez vous me répondre??? En tout cas, merci d'avance!!! je me demande ou vous prenez toutes vos idées fantastiques!!!!!!! Vraiment j'ai été épatée!

Geneviève.

Je m'appelle Élodie. Je suis au collège en 5e. Je voulais vous dire que j'ai littéralement dévoré vos livres. J'ai lu les 3 en 3 jours, vous vous rendez compte!!!! Vos livres surpassent les livres des aventures de Harry Potter qui, jusqu'à ce jour, étaient mes livres préférés, mais maintenant ils se placent après les aventures fantômatiques de Peggy Sue. Ma grand-mère qui m'interdit de lire à table en mangeant était partie faire autre chose, donc j'ai ouvert mon livre et j'ai lu à table (je sais que c'est mal poli, mais j'étais toute seule et c'était plus fort que moi!).

Élodie, qui habite en Nouvelle-Calédonie.

La première fois que j'ai vu paraître Peggy Sue, voyant l'épaisseur du livre, je me suis tout de suite découragée, mais, un an plus tard, je suis dans une maison de la presse et je vois le premier tome de

Peggy Sue en livre de poche, alors j'ai demandé à ma mère de me l'acheter. Trop cool ! J'ai dévoré les deux autres tomes après les avoir trouvés au supermarché. Je rêve jour et nuit d'un quatrième tome. En tant que fille je trouve Peggy Sue craquante. Bonne continuation Peggy, et ne te laisse pas avoir par Sean !
Charline. 10 ans.

J'ai adoré le jour du chien bleu et le sommeil du démon. LE PAPILLON DES ABÎMES que j'ai commencé à lire est super !
Continuez comme ça et il sera aussi connu que Harry Potter.
Charlène. 11 ans.

Salut, Peggy Sue c'est génial ! Mon livre préféré (car je les ai tous lus) c'est le tome 2, je n'arrivais pas à m'en détacher ! Un très grand bravo à Brussolo !!!!!!!!!!!!!!!!!!!!!!!!!!!
Nolwenn. 13 ans.

Bonjour monsieur Brussolo, je suis une super fan de vous ! Votre imagination est débordante d'idées incroyables ! Je vous admire tellement. J'ai préféré le tome 2 au 1 et au 3. Le 1 était trop sanglant avec la vengeance des bêtes mais le deuxième était formidable c'était complètement fou ! Le troisième est super lui aussi mais, bien sûr, pas comme le deuxième ! J'ajoute aussi qu'il y a des copines qui vous disent : CHAPEAU !!!!!!!!!!
Nina. 12 ans.

Monsieur Brussolo, les histoires de Peggy sont géniales, continuez vos romans ils sont passionnants.
Mini Pékinois. 12 ans.

Coucou Peggy Sue !!! Tes aventures sont vraiment passionnantes et je trouve vraiment dommage que toi et les garçons, ça ne marche pas comme tu le souhaiterais !!! Tu es vraiment courageuse et tu as une assez forte personnalité pour ne pas être comme les autres et combattre les invisibles qui te jouent des tours. J'ai lu les 3 tomes et j'ai vraiment adoré !!! En clair, C'ÉTAIT GÉNIAL !!!!!!!!!
Gros bizzous.
Pauline. 13 ans.

Full hot ton livre man !
bravo !!!!!!!!!!!!!!!!!!!!!!!!!!!!!!!!!
Nemo l'extraterrestre.

Cher Serge. Je m'appelle Sheina, j'ai 13 ans (presque) et je t'ai découvert il y a plus d'un an : mon père m'avait offert *Peggy Sue et les fantômes*. Après un chapitre, j'étais sous le charme : je l'ai dévoré. J'ai aussi lu les autres Peggy Sue. Tu es mon écrivain préféré, je voudrais lire ton œuvre complète et heureusement il en reste plein. J'ai vraiment commencé

à aimer lire en te lisant : merci !!!! Je n'ai qu'une seule critique : tes livres sont trop courts. BISOUS.
Sheina. 13 ans.

Un seul mot : félicitation !

Serge Brussolo a crée un personnage extraordinaire en créant Peggy Sue. Franchement, j'ai adoré les 3 tomes parus et je trouve Peggy géniale !

Je pense aussi que Serge Brussolo est un écrivain hors pair, et j'espère qu'il continuera à écrire.

A quand le film ? S'il y en a un, moi je me présente directement au casting !
Nathalie. 14 ans.

Après Harry Potter, dont je suis complètement folle, vos livres sont mes préférés ! Bravo !
Cleo.

J'admire M. Brussolo car il arrive à se mettre dans la peau du personnage, son imagination est sans limites.

Je me régale chaque soir.
Sarah.

On a beau dire que Peggy Sue est l'héroïne, d'accord mais en fait, c'est vous notre héros car, grâce à vos livres, vous nous sauvez de l'ennui !

J'attends — d'ailleurs, je ne dois pas être la seule — avec la plus grande impatience les tomes 4, 5, 6, etc... Car j'espère qu'il y aura plus que 3 tomes !

Merci de tout cœur.
Cécile. 14 ans.

Salut Peggy Sue!!!!

J'ai 14 ans et mon père m'a acheté ta première aventure. J'avoue, au début j'ai cru que c'était un peu nul mais je me suis bien trompée!

Ta première aventure est superbe. Ton auteur (que je remercie pour toutes ces lignes de bonheurs qu'il a écrites) n'a pas hésité dans le fantastique. Il a donné l'intelligence aux animaux et j'ai trouvé cela super!!!!

V'là, c'est tout!!!! Passe toi aussi de bonnes vacances!!!! Bye.

Julie, une dévoreuse de bouquins.

Bonjour, je m'appelle Juliette, j'ai 13 ans et j'ai dévoré les trois tomes de Peggy Sue. Et je voudrais dire deux mots à Serge Brussolo :

— Bravo, car vos livres sont très originaux.

— Et merci d'avoir écrit ces 3 livres qui ne sont ni fantastiques, ni supers mais tout simplement *géniaux*, merveilleux. D'habitude, je dévore n'importe quel livre mais ceux-ci encore plus que les autres. Je les ai conseillés à ma meilleure amie qui vient de finir les deux premiers tomes. Monsieur Brussolo, s'il vous plaît, continuez à écrire des romans pour les jeunes.

Juliette. 13 ans.

P. S. : Eh, Peggy, fais comme moi, mets des lentilles de contact, c'est plus pratique.

Je viens de terminer le troisième tome des folles aventures de Peggy Sue et j'ai adoré. J'ai 18 ans, je suis une « intello » mais fan de ces romans géniaux qui ne sont destinés aux enfants que parce que les adultes les dédaignent !

J'adore Harry Potter mais ce n'est pas la même chose... plus sérieux ???

Avec Peggy Sue, on est entraîné dans un univers délirant dont on aurait même pas osé imaginer certains détails.

La force de ce livre, c'est Peggy Sue et son adorable chien (sans nom !), qui nous font le même effet que l'ombre du papillon.

Je vais le conseiller à tous mes amis qui sont stressés par leurs études pour qu'ils comprennent enfin la vraie valeur de la vie, et les choses qui comptent !

Virginie. 18 ans.

Je voulais te dire à toi, Serge Brussolo, que tes livres sont superbes... La plupart du temps je ne lis pas, mais manquer une telle occasion de lire tes livres pleins d'imagination, alors là !!!!

Continue à écrire des histoires merveilleuses. A quand le prochain livre ?

Jessica. 12 ans. Québec.

Salut Peggy !!! Je m'appelle Anne, j'ai lu tes aventures avec les « invisibles ».... Tu es vraiment courageuse !!!

Je t'embrasse.

Je suis une GROSSE dévoreuse de livres et je trouve les romans de Peggy Sue géniaux. J'ai une certaine préférence pour le deuxième, débordant d'imagination, j'aimerais remercier M. Brussolo pour ce moment de bonheur procuré à chaque lecture.

Hélène. 11 ans.

Je tenais à vous féliciter pour le 3e Peggy Sue. Absolument génial!!!!

Impossible de s'en séparer avant la dernière page.

Merci encore de nous faire voyager.

A quand les films?

Dans la famille, nous sommes tous des fans de 8 ans à 36 ans (l'âge de mon mari).

Anita. 34 ans.

J'ai adoré PEGGY SUE, j'ai lu le 1, 2, 3 et j'aimerais savoir quand va sortir le 4. J'ai vraiment aimé ça et je voudrais remercier BRUSSOLO.

Caroline. 11 ans.

J'ai lu les trois tomes et j'ai trouvé ça super intéressant. C'est magique et aussi un peu triste que Peggy n'aie pas Sébastian près d'elle dans les moments tristes. J'ai trouvé ces aventures pleines de mystère.

Annabelle.

J'adore Peggy Sue, le chien bleu et aussi Sébastian!!!!

Je viens de terminer de lire le tome 3 de Peggy Sue et j'ai vraiment adoré!!!!!!!!!!!!!!!!!!!!!

J'ai lu tous les tomes et je voudrais savoir quand sortira le 4e.

Est-ce que Peggy en a vraiment terminé avec les invisibles (aussi appelés Gloubolz)???

Moi je ne crois pas!!!! Je crois que les invisibles encore sur la Terre vont trouver une solution pour que les autres (restés sur leur planète d'origine) reviennent sur terre tourmenter les Terriens!!!!!!

Gros bisous à Peggy ainsi qu'à Sebastian et bien sûr au Chien Bleu!!!!!!!

Edwige. 12 ans et demi (qui a réalisé un site sur Peggy Sue et propose, en avant-première des extraits des romans à paraître).

Au début, ma mère m'a acheté 2 tomes de Peggy Sue et je me suis dit : « Bof, ça a l'air plutôt gamin. » Après avoir lu les premières pages, je ne pouvais plus le lâcher!!!! En fait Peggy Sue est tout simplement... EXCELLENT!!!! J'ai dévoré les trois tomes encore plus vite que je n'ai lu les tomes de Harry Potter.

Les aventures de Peggy me font trop rêver. Après, chaque soir, je m'imaginais comment j'aurais réagi face aux dangers que traverse Peggy.

Moi, personnellement, le tome que je préfère c'est le troisième car Serge Brussolo sait parfaitement décrire le situation dans laquelle Peggy, le chien bleu et Sébastian se sont fourrés. Et ce que j'aime bien c'est quand Peggy et ses amis sont dans le centre de la Terre. Car tout est SUPER BIZARRE!!!

En tout cas j'aimerais dire un grand MERCI à Serge Brussolo de nous apporter tant de bonheur.
Nicolas.

Je m'appelle Laura et je suis fan de PEGGY SUE !!! C'est trop génial. Je l'ai même conseillée à mon papa.
J'ai lu le tome 3 (*Peggy Sue et le papillon des abîmes*) et j'attends avec impatience le tome 4. En tout cas, moi je dis que si vous continuez comme ça vous aller être une VEDETTE !!!!!!!!!!!
Laura. 10 ans.

Coucou,
Je n'ai pas écrit depuis longtemps, parce que le deuxième livre n'était pas encore sorti.
Je l'ai lu, il est SUPER ! J'aime bien cette histoire de démon endormi. Et cette séparation entre Sébastian et Peggy, c'est romantique !
J'adore vos livres, ils sont remplis de suspense, d'aventure et de paranormal ! A bientôt !
MARIE-ANTOINETTE.

J'ai dix ans, et je viens de terminer la lecture de Peggy Sue et les fantômes, *Le Jour du chien bleu.*
J'ai beaucoup aimé.
Je lirai bientôt les autres aventures de Peggy Sue.
Pascal.

Le 1er tome n'est qu'un avant-goût des 2 suivants. Les 2 tomes suivants sont HYPER COOL !!!!!!!!!!!!!!!!!!!!!!!!!!!!!!!!!!

Vous savez, monsieur l'écrivain, vous devriez continuer à nous faire rêver.
Aude.

Serge Brussolo est un auteur remarquable et je trouve ses livres meilleurs que la collection Harry Potter puisque l'action commence dès la première phrase du livre.
Daniel.

Je m'appelle Christelle et j'ai 14 ans.
Prévoyez-vous un film sur Peggy Sue et sur Sigrid?
Si oui, ce serait génial!!!!!! Comme ça pour ceux qui ne savent pas lire, qui n'aiment pas lire. Pour ceux qui rêvent d'en savoir plus sur les personnages, les paysages... et de les voir en images (mais je sais que ça demande énormément de travail).
Je trouve que Sigrid et Peggy sont des livres intéressants, merveilleux, et super!!!!!!!
Donc je vais continuer de lire vos livres fantastiques avec beaucoup de plaisir et de passion.
Christelle.

Vos livres sont superbes je n'en n'ai lu qu'un et j'aimerais bien lire les autres, surtout *Le sommeil du démon*. Celui que j'ai lu est *Le jour du chien bleu*, il m'a tellement passionné que j'en ai parlé à tout le monde. Un copain m'a dit qu'il était en train de le lire.
Francis.

J'adore les histoires de Peggy Sue je les ai tous dévorés à une vitesse impressionnante. J'espère que le tome 4 va sortir bientôt car je l'attends avec impatience je me demande comment on peut avoir autant d'imagination !!!! Un grand BRAVO à l'auteur !!!!
JESSICA. 13 ans.

Bonjour, je m'appelle Rodrigue j'ai 12 ans et je passe en 4ᵉ. Je voulais vous dire que j'ai lu les 3 tomes de Peggy Sue hyper vite tellement c'est hyper génial !!! L'histoire est pleine de suspens et je la recommande à tout le monde de 1 a 111 a n s ! ! ! ! ! ! ! ! ! ! ! ! ! ! ! !!!!!!!!!!!!!!!!!!!!!!!!!!!!!
Rodrigue.

Je trouve que les 3 tomes de Peggy Sue ont été passionnants, romantiques, humoristiques, et même parfois à en mourir de peur !!!!!!!!!!!!!!!!!
C'est pour ça que je voudrais remercier absolument Serge Brussolo pour avoir inventer ces aventures à nous en couper le souffle.
FÉLICITATIONS! ! ! ! ! ! ! ! ! ! ! ! ! ! !!!

J'adore tes bouquins, c'est trop génial! Serge Brussolo a beaucoup d'imagination! Ça serait trop cool si un film *Peggy Sue et les fantômes* sortait... Là, j'irais le voir dès qu'il sort !!!!!!!!!!!!!!! Continuez vos aventures SVP c'est exxtttrrrraaaa! Bisous!
Sophie.

Peggy Sue c'est trop BIEN !!!!!!!!!!!

Je viens de terminer le tome 3, mais je trouve que Peggy aura du mal dans ses nouvelles aventures avec un gros sac de sable à transporter, et Sean Doggerty à trimballer et bien sûr le chien bleu à emporter et en plus de ça, elle ne peut pas avoir deux amoureux !

J'ai quand même adoré ces trois tomes surtout le dernier, car à chaque fois qu'une aventure se termine une autre recommence.

Merci, j'attends le quatrième avec impatience.

A Serge Brussolo : sur les couvertures le chien bleu n'est pas très bien fait !

Benjamin. 12 ans.

Merci de nous offrir de si bons livres.

J'ai lu les tomes dans des lieux très différents et je me dis que si j'en relis un, je retrouverai le souvenir de chaque lieu de lecture.

J'aurais aimé — pardon j'aimerais — être Peggy Sue, me sentir importante aussi, je la sais impopulaire ce qui la rapproche de beaucoup de gens...

Si vraiment elle existe — même dans un monde imaginaire — j'aimerais la connaître et lui dire de continuer de défendre la cause humaine.

Qui sait si Peggy Sue ne roule pas déjà sa bosse dans une autre aventure ? Je souhaite m'y immerger bientôt ! Au revoir et surtout BRAVO !

Amicalement, Marianne 13 ans et des poussières de rêves...

J'ai adoré le 1er tome. Je l'ai conseillé à ma tante qui l'a lu en entier et qui l'a elle-même conseillé à ma copine Laura.

Orlane.

Je m'appelle Charline, j'ai 12 ans et j'adore vos livres. J'ai d'abord lu le 2e et je l'ai dévoré. Je n'ai jamais lu un livre aussi passionnant (il faut avoir une rude imagination). Alors j'ai décidé de lire le 1er, je l'ai trouvé long mais super quand même. J'ai attendu le 3e, et là!!!!!!!!! je l'ai dévoré. Si je devais faire un classement des 3 livres ce serait : 2e, 3e, 1er.

Je préfère *Peggy Sue* à *Harry Potter*. Pourquoi ne pas en faire un film? J'aime bien l'histoire d'amour entre Peggy Sue et Sebastian. J'attends le 4e avec impatience. Bravo à Serge Brussolo.

Charline. 12 ans.

Moi j'ai préféré le 1, c'est le plus déconcertant. Dans le 3, le clin d'œil m'a amusé (celui où l'auteur s'est inséré dans le texte). Par contre il ne faudrait pas que cela devienne trop « horrible » (comme un lecteur l'a suggéré), ni trop mièvre (cul-cul, nian-nian pour les intimes) comme d'autres l'ont aussi suggéré, sinon cela s'éloignerait de l'objectif principal. Ce que je veux dire par là, c'est que je désire que M. Brussolo n'écoute pas les demandes des autres lecteurs et continue à nous écrire des livres magnifiques pour tous les âges et proches de la perfection (si ce n'est la perfection-même).

Thomas. 14 ans.

Je trouve les aventures de Peggy Sue vraiment captivantes. En un mot : CHEF-D'ŒUVRE. J'ai dévoré les tomes 1, 2 et 3 avec beaucoup d'enthousiasme, ils sont fantastiques ! Ce livre nous entraîne dans des univers parallèles et nous font rêver. De l'humour, de l'action, du suspense... Le texte est vraiment dynamique et bien écrit, et le côté fantastique m'a beaucoup plu. L'imagination de l'auteur va très loin et nous enchante ! Encore bravo ! Les aventures de *Peggy Sue et les fantômes* sont géniales. J'attends le 4ᵉ tome avec impatience.

Sabine. 12 ans.

Je suis fan de Peggy Sue et les fantômes. Je trouve qu'à chaque livre il y a encore plus de suspense. Je félicite Brussolo pour avoir réussi tous ses livres !

Alexandra. 11 ans.

J'adore Sigrid, et aussi Peggy Sue, cela fait plus d'un an que je connais Peggy Sue et j'ai accroché de suite. C'est Peggy Sue qui m'a fait découvrir Sigrid. Je trouve que Peggy et Sigrid se ressemblent beaucoup moralement, mais ce que je trouve de géant c'est qu'elles ont des missions totalement différentes. En plus elles ne sont pas considérées comme des héroïnes, et c'est ce qui fait leur charme.

Serge Brussolo, je suis une très grande fan, et plus tard je voudrais être comme vous.

Laura.

J'ai dévoré les trois livres des aventures de Peggy Sue et il me tarde de voir paraître le 4e !!!!
Continuez à nous faire rêver !!!!!!
Émilie. 13 ans.

Félicitations au papa Brussolo : c'est une merveille !!!!!!! Je parle bien sûr du troisième tome de « Peggy Sue et les fantômes », le papillon des abîmes ».
Merci mille fois... A quand le quatrième ?????
Continuez à cultiver votre merveilleuse imagination.
Faites aussi que Sebastian et Peggy restent ensemble pour la vie !!!!!!!... et que le chien bleu trouve l'âme sœur !!!! Gros Bisous....
.... à très bientôt.....
Charlotte. 13 ans.

Je m'appelle Caroline et j'aime beaucoup Peggy Sue.
Je viens d'acheter le 3e tome et j'ai hâte de le lire mais malheureusement c'est ma sœur qui le lit en premier.
Je viens de relire le second tome et je trouve moi aussi que le premier tome est moins bien que le second, même si *le jour du chien bleu* est lui aussi très bien écrit ! Je pense que vous avez beaucoup d'imagination et j'aimerais en avoir autant !
Au revoir et bravo monsieur Brussolo !
Caroline.

J'ai adoré le deuxième tome !!!!!!!

J'ai bien rigolé en lisant le passage où les squelettes faisaient de la musique avec leurs os.

Mais j'aimerais bien que Sébastian redevienne normal.

J'attends avec impatience que le troisième tome sorte !!!!!!!!!!!!!!!!!!!!!!!!

Et surtout ne change rien, c'est très bien comme ça.
Morgane. 10 ans.

Bonjour, je m'appelle Emeline et j'adore vos livres, ils sont passionnants. J'espère que vous allez continuer à écrire la suite des histoires de Peggy Sue, et que vous allez en faire un film.
Bravo,
Emeline.

J'adoooore les aventures de Peggy Sue !!!! Elles sont aussi intéressantes que Harry Potter.
Helen. 12 ans.

J'imagine que nous, les fans, nous n'arrêtons pas de radoter, mais je voulais féliciter Serge Brussolo pour le troisième tome des aventures de Peggy Sue.

J'ai adoré la complicité entre Peggy Sue et sa grand-mère car elle est la seule personne de sa famille à la comprendre. J'aimerais que Peggy Sue continue à s'entretenir avec elle (par exemple par télépathie), que Sébastian devienne « normal » et que les invisibles tentent de subsister !

Dans ma chambre, il ne reste plus de Peggy Sue : Ma mère lit le tome 1, le tome 2 est chez ma voisine et le tome 3 (qui est dédicacé!) est lu par une amie d'équitation, avec les recommandations, de faire très attention!!!!

Je suis trop impatiente, mais que raconte le tome 4 et quand va-t-il sortir?

Marie. 14 ans.

Je m'appelle Christelle et j'ai 14 ans. Je suis une de vos fans.

J'ai lu les 3 tomes, et je les trouve très passionnants, pleins d'imagination, vivants, on rentre dans l'histoire...

(Je sais que je suis pas la première personne qui vous félicite.)

J'ai lu le courrier des lecteurs dans le tome 3, et ils ont souvent comparé avec Harry Potter, c'est vrai qu'il faudrait que Peggy Sue soit aussi célèbre que Harry Potter, je trouve. Et c'est dommage, personne ne la comprend à part quelques personnes : mamie, le chien bleu.... Vous êtes un excellent auteur!!!!!!!!!! Bravo!!!!!!!!!!!!!!!

Vos livres sont tellement passionnants que je les dévore en 2 jours!!!!!!!!!!!!!!!!!!

Christelle. Gros bisous!!!!!!! Vous êtes génial comme auteur!!!!!!!

Bonjour à vous!!! Je viens de finir le troisième tome et j'attend la suite avec impatience!!! Ce qui est génial c'est que quand on commence à lire cette merveilleuse histoire on ne peut plus s'arrêter!!!! Chapeau à BRUSSOLO!

Zibous, Julie.

Bonjour j'ai lu une de tes aventures (le chien bleu) et je tenais à te féliciter.
Maxime. 8 ans.

Chère Peggy,
Je suis Gabrielle et j'ai 12 ans. J'ai lu le premier tome de tes aventures. C'est extrêmement emballant et vraiment imaginatif....
Ton créateur a été original...
J'espère que tes autres tomes seront tout aussi bons.
Une amie, Gabrielle.

J'ai lu le tome 3 de Peggy Sue et je trouve que l'auteur de ce roman a fait preuve d'une très grande imagination. Je n'avais jamais lu un livre aussi passionnant, quand on le lit, on rentre complètement dans l'histoire et on ne veut plus en sortir. Ce qui me touche le plus c'est l'amitié qu'il y a entre le chien bleu et Peggy et, que les personnages se comprennent avec une très grande facilité. Pour décrire l'histoire de Peggy Sue en quelques mots : passionnant, tendresse, amitié, humour, horreur et suspense. M. Brussolo, merci de nous faire rêver et continuez comme ça.
Neige. 12 ans.

Salut !
Peggy Sue c'est génial ! Toutes les deux on trouve Peggy super parce qu'elle nous ressemble beaucoup à une différence près : elle voit des fantômes ! Les

trois tomes sont vraiment géniaux! On se demande d'où M. Brussolo sort de telles idées! A quand le quatrième tome? Et combien de tomes est-ce qu'il va y avoir? Un dernier mot : Peggy Sue Fairway est ARCHI SUPER FORMIDABLE!!!!!!!!!!!!!!!!!!!!!!
Julia et Tiffanie (12 et 13 ans).
Les 2 plus grandes fans de Peggy de la planète.

Super!!!!!! Trop bien!!!!!! J'ai adoré Peggy Sue et les fantômes, Le papillon des abîmes.
Bravo à Serge Brussolo.
J'ai un conseil à donner à Peggy : demande à la fée au cheveux rouges de réparer tes lunettes et je dis chapeau à Brussolo.
Note 20 /20
LAURA. 8 ans.

Bonjour!
J'avais oublié de vous dire que j'ai adoré dans *Peggy Sue et le papillon des abîmes*, le passage où elle était dans le château qui reprenait vie chaque nuit!!!!!!!
J'ai commencé à lire « Conan Lord », et je trouve qu'il y a beaucoup de mystère, surtout avec le garçon qui ne grandit pas!!!!!!
Passez de bonnes vacances!!!!!!!!!
A bientôt!!!!
EMMA. 12 ans.

Je m'appelle Julie et j'ai 12 ans. J'adore Peggy Sue, quand je commence à lire je ne peux pas m'arrêter, je passerais ma journée à le lire.
JULIE.

Je trouve que Peggy Sue est un livre qui sort de l'ordinaire par son scénario original et recherché. J'ai d'ailleurs été beaucoup surpris en découvrant le pays des Invisibles.
Fabrice. 12 ans.

Je viens de finir le troisième roman j'ai adoré à part que j'aurais préféré qu'elle reste amoureuse de Sébastian et non pas de Sean!!!!!!!
Herminie. 12 ans.

J'ai acheté les 3 tomes de Peggy Sue, ainsi que le 1er de *Sigrid et les mondes perdus*, pour mon petit neveu de 9 ans. Mais j'avoue que, avant de les lui offrir, je me suis permis de les lire. C'est vrai, qu'au 1er chapitre de chaque livre, j'avais du mal à accrocher. Mais au fil de l'aventure, j'avais de plus en plus de mal à poser le livre, tellement j'avais hâte de connaître la suite des expéditions de ces chères et adorables Mlles Peggy Sue, et Sigrid. Alors M. Brussolo, j'attends la suite, de chacune de ces aventurières hors du commun, et surtout continuez à faire rêver nos chères petites têtes blondes. Car cela change de la violence de certains dessins animés, et en plus, ça leur donne le goût de la lecture.
Bien amicalement. GRX9.

Coucou Peggy Sue. Ton livre est trop fort, je ne suis qu'en train de lire *le sommeil du démon*, mais plein d'amis me disent qu'ils sont tous aussi bien les uns que les autres. J'espère que vous allez en sortir encore d'autres pour en faire une collection entière ! JE VOUS FAIS PLEIN DE BISOUS À TOUTE L'ÉQUIPE.
Edmée.

Je trouve que la série de livres « Peggy Sue et les fantômes » est géniale !!!! J'ai eu un peu de mal à me lancer dans le premier tome, mais une fois partie je n'arrive plus à m'arrêter. Serge Brussolo a vraiment une imagination formidable, j'ai lu les 3 tomes et je les trouve tous aussi bien les uns que les autres, pourvu qu'il y en ait d'autres.
Constance. 13 ans (bientôt).

Peggy Sue c'est super ! Bonjour Peggy Sue ! Je te trouve très courageuse, je t'admire.
Beaucoup big bisous !
Alizée.

Il faut dire que j'adore lire, c'est une de mes passions favorites et je lis des livres de tous genres : BD, mangas, contes et légendes, romans d'aventures et de science-fiction, etc... Alors je vous écris car je dois avouer que *Peggy Sue et les fantômes* est dans les meilleurs que j'ai jamais lus. Je trouve que l'histoire est bien plus palpitante que Harry Potter. En tout cas j'ai lu vos 3 tomes et ils sont géniaux, l'histoire n'a aucun point commun avec

Harry Potter et c'est bien mieux comme ça, donc tous ceux qui disent que *Peggy Sue et les fantômes* c'est copié sur Harry Potter ou que c'est pour les déçus d'Harry Potter se trompent complètement !!!!

Au revoir !

Alexia.

J'ai trouvé les 3 tomes de Peggy Sue vraiment GÉNIAUX !!!!

Je viens de finir le troisième tome (il est super).

Quand je lis les aventures de Peggy Sue je me mets dans la peau du personnage.

Si ces livres deviennent connus je pense qu'ils seront les rivaux des tomes Harry Potter (j'aime bien Harry Potter et Peggy Sue, mais on ne peut pas les comparer car ils sont différents).

Je conseille ce livre à tous les lecteurs de romans fantastiques, d'Harry Potter et de gros livres.

Un énorme BRAVO à Serge Brussolo.

Adrien. 12 ans.

Avis à tous les fans de lecture, à lire absolument : j'ai nommé « Sigrid et les mondes perdus » et la saga « Peggy Sue ». C'est tout simplement magique !!! De rebondissement en rebondissement, ce fou de créateur nous mène dans une histoire pas piquée des hannetons pour une fin assez ébouriffante !!!!!!! A lire avant le dernier tome de « Harry Potter », même si c'est dur, après vous ne le regretterez pas, juré !

Garance.

Je te le dis, je trouve VRAIMENT que tu écris super bien!!!!

Paul-Elliot, 12 ans et fan de tes livres!

Le deuxième tome est simplement UN CHEF-D'ŒUVRE de la littérature jeunesse, je vais bientôt aller m'acheter le troisième tome. Sebastian va-t-il recouvrer une vie normale? Y a-t-il une sortie cinéma prévue pour les aventures de Peggy Sue? Peggy Sue n'aura-t-elle plus besoin de lunettes dans un prochain volume?

J'aimerais également dire que Harry Potter est totalement différent de Peggy Sue, et qu'on ne peut donc pas les comparer.

EDDY. 9 ans.

J'ai lu les trois tomes de Peggy Sue ainsi que celui de Sigrid et je les adore tous. Si possible pourriez-vous m'envoyer la liste de tous vos livres publiés.

Merci de nous faire rêver.

David.

J'aimerai vous dire que vos livres sont géniaux car si Harry Potter était bien, Peggy Sue est extra!!!!

Mais surtout, continuez car je me jette dessus dès qu'un de vos livres paraît!!!!

Virginie.

Je voulais vous dire que vos livres sont : MÉGA-GIGA-ULTRA-GÉNIAUX!!!!

J'ai les trois et mon préféré est « Le papillon des abîmes ». J'aime beaucoup le côté sentimental de celui-ci et surtout l'action. Mon passage préféré est lorsque Peggy rencontre les squelettes musiciens.
Maxime.

Vos livres sont splendides, je les dévore puis je les relis pour raconter l'histoire à mes frères et sœurs.
Domitille.

Salut. C pour te demander si c toi qui o écrit le livre ou si c toi la vedette. En tk même si c po toi c un full bon livre. Pis to l'air cool. To quel âge ? Me semble que ça le dit dans le livre mais je lai juste lu 1 fois. Pis je pense que c 14 ton age je men rappelle pu. Moi c 13. En tk j'ai lu le livre en allant chez ma grand-mère qui habite à Québec (une province au Canada) pis ça prend 2h de chez nous pour y aller c en campagne, pcq moi j'habite au Canada, à Montréal. J'aimerais aller en France un moment donné pcq ça lo l'air ben hot.
Bye bye
Fannie.

Salut j'adore Peggy Sue et vous savez quoi Peggy Sue c'est une top model en vrai ! bon mon préféré moi c'est le papillon des abîmes. Mais comment on peut écrire un aussi bon livre ? Continuez de nous faire rêver comme vous le faites.
Camille. 13 ans.

J'ai acheté votre livre il y a 3 jours et je l'ai déjà fini. C'est pour vous dire qu'il était vraiment très bien, très intéressant.

Adeline.

TROP FORT!!!!!!!!!!!! J'ai adoré les 2 tomes de Peggy et j'ai hâte de lire le 3. J'ai eu l'idée de vous écrire car dans ce tome j'ai lu le courrier des lecteurs. Au début je croyais que c'était « bof » mais en le lisant ça m'a emportée. J'espère que Sébastien redeviendra normal. J'ai un truc à dire à Peggy, je pense que sans les lunettes tu deviendras plus belle!!!!!!!!!!!!!!!!!!!!!!!!!

Zoé. 12 ans.

Salut à tous!!!!!!!!!!! PEGGY SUE c'est trop bien. J'ai déjà lu les 3 premiers et j'attends le 4e tome avec IMPATIENCE et je remercie Serge BRUS-SOLO de me faire rêver à chaque page tournée et je l'encourage par la suite à continuer de produire *Peggy Sue et les fantômes* car cette collection a un avenir tout tracé!!!!!!!!!!!!!!! Pour ceux qui n'aiment pas lire, essayez de le lire il vous fera rêver et vous penserez que cette collection est grandiose!!!!!!!

UN TRÈS GRAND MERCI DE TOUT MON CŒUR À SERGE BRUSSOLO!!!!!!!!!!!!!!!!

Cher M. Brussolo,
J'adore vos livres que je dévore en quelques minutes.
Vous avez beaucoup d'imagination.
Diane.

Je veux vous dire aussi monsieur Brussolo que Peggy Sue est géniale. J'espère que vous avez une autre idée de livre par exemple qu'elle soit coincée dans un univers virtuel, je vous dis ça car j'adore les jeux vidéo (ainsi que vos livres!!!!!!). Sinon j'espère qu'il y aura un film ainsi qu'un jeu sur toutes consoles confondues.

Je vous souhaite vraiment du courage.

Damien.

Je viens à peine de finir le 3ᵉ tome (Le papillon des abîmes) et je l'ai trouvé excellent tout comme les 2 autres. Mon préféré restera quand même le 2ᵉ (Le sommeil du démon) car à chaque page, on avait du suspense. Pas le temps de se rassurer de tel danger évité ou de tel ennemi battu, car dès la page suivante, nos héros affrontaient un nouveau danger. Je tiens à féliciter Monsieur Brussolo pour sa grande imagination qui nous fait vivre des moments exquis. Vivement le 4!!!!

Gros bizzzoux, TANIA.

Bonjour, je voulais juste vous dire que j'ai préféré bien plus Peggy Sue que Harry Potter. A vrai dire, ce sont les trois meilleurs livres que j'ai lus dans ma vie. Je voudrais savoir si Serge Brussolo va faire plus de livres sur Peggy Sue et les fantômes, et l'encourager car je sais qu'il a beaucoup de talent et aussi une imagination extraordinaire et je ne voudrais pas qu'il se contente de 3 livres. J'ai beaucoup aimé ses œuvres et j'aimerais continuer à en lire parce que je m'amuse beaucoup en les lisant. C'est pour quand les films ?

Hugo, 12 ans. Barcelone.

Salut Peggy Sue !!!!
J'ai lu ton livre et je l'ai adoré.
Shyrinia.

J'ai vraiment beaucoup aimé Peggy Sue et mon classement des trois livres se fait dans cet ordre : 1°) tome 3, 2°) tome 2, 3°) tome 1. J'ai quand même préféré le tome 3 mais j'aurais une question : est-ce que Peggy Sue va rester avec Sebastian ou pas ? Personnellement, j'aimerais que oui.

Camille.

Bonjour Monsieur Brussolo !!!!
Je viens de terminer de lire (non, pardon, de dévorer) le dernier tome de Peggy Sue, qui est fidèle à l'esprit des deux premiers. Félicitations !!!! Et surtout, ne modifiez pas la recette de Peggy Sue, malgré les (nombreuses) remarques des lecteurs, car elle est très bien ainsi !

Une fidèle lectrice : Yumi. 13 ans.

LE RÉSULTAT DU CONCOURS

En juin dernier, à l'occasion de la parution du *Papillon des abîmes*, troisième tome de *Peggy Sue et les fantômes*, par Serge Brussolo — 92 000 exemplaires — CANAL J et les Editions PLON proposaient aux téléspectateurs de la chaîne un grand concours d'écriture : « **Imagine la suite des aventures de Peggy Sue.** **Récompense pour le gagnant ou la gagnante : la parution du texte dans** *Le Zoo ensorcelé* **et une rencontre avec Serge Brussolo.** »

Près de cinq cents enfants, fans de la jeune héroïne, ont participé à ce concours et c'est le **texte de Maëva,** 11 ans, Niçoise, qui a été choisi par le créateur de Peggy Sue. La jeune auteure en herbe voit donc son texte publié dans le quatrième tome, *Le Zoo ensorcelé*.

Maëva a rencontré l'auteur, à Paris, le 25 septembre dernier, à bord de la péniche « Le Parisien » appartenant à la compagnie des Bateaux-Mouches. Ce fut pour elle l'occasion de demander des conseils et de partager ses impressions avec cet écrivain célèbre dont la série fantastique *Peggy Sue* rencontre le plus vif succès auprès de ses lecteurs.

Les Editions Plon ont ensuite emmené Maëva, dont c'était la première visite à Paris, au sommet de la tour Eiffel.

Enfin, Maëva est devenue l'héroïne d'un portrait diffusé fin novembre dans « Lollytop », le magazine des filles de CANAL J, à l'occasion du Salon du livre et de la presse jeunesse de Montreuil.

Bravo et félicitations à Maëva.

Voici donc l'histoire gagnante.

Nice, le 9 juin 2002

prénom : MAËVA

      Lorsque Peggy Sue ouvrit les yeux, elle se trouvait dans une chambre d'hôpital. Sa tête était lourde et ses pensées embrouillées, elle avait du mal à émerger d'un sommeil artificiel. Sa mère qui ne l'avait pas quittée depuis son admission la rassura.

— Tu viens d'être opérée. Tu as fait une crise d'appendicite aiguë pendant la nuit. Comment te sens-tu à présent ?

Peggy voulut répondre, mais il ne sortit de sa bouche que quelques mots in-com-pré-hen-si-bles.

— Maintenant que je te sais réveillée, je vais descendre au secrétariat car j'ai des papiers à remplir.

Quand la porte se referma, Peggy sentit une peur panique l'envahir, un invisible venait de sortir de la table de nuit avec la légèreté d'une fumée de cigarette et vint se poser sur son lit avec la lourdeur d'un gâteau anglais.

— Alors ma petite on fait moins la maligne, dit-il en ricanant. Tu vas avoir du mal à te défendre, dans l'état où tu te trouves.

Et s'approchant du bras de Peggy, il lui arracha d'un coup sec sa perfusion...

Table